飯田哲也
Iida Tetsunari
金子 勝
Kaneko Masaru

筑摩選書

メガ・リスク時代の「日本再生」戦略

「分散革命ニューディール」という希望

メガ・リスク時代の「日本再生」戦略　目次

第2章　ガラパゴス化と希望のタネ　金子勝／飯田哲也 105

メガ・リスク時代の「日本再生」戦略

「分散革命ニューディール」という希望

序章

分散革命ニューディールを！

金子勝

1　新しいリスクと分散革命

新しい時代を始めなければならない。

まず、いま何が起きているのかを冷静に見つめることです。現代に生きている私たちは、日常的にリスクに満ちた世界で生きるようになっています。大流行している新型コロナウィルス、原発や石炭火力発電、古くさい情報通信技術と情報管理という代表的な3つの問題を取り上げてみましょう。

新型コロナウィルスのリスク

一つは、新型コロナ時代に人類が生き残るためには、新たなリスクはどのような性格のものので、いかにしてそれと対峙しなければならないのかを見極めることが大事です。

新型コロナウィルスは、まだわからないことが数多くあります。変異が速く、無症状でも感染し、しつこくて、中にはサイトカインストーム（免疫暴走）を引き起こして死に至らしめます。ワクチンの開発が難しく、少なくとも2年はかかると言われています。このように、やっかいなウィルスがいつでも発生しうる社会になったのです。

しかも、やっかいなウィルスの性質とともに、大都市に人口が集中するという過密状態が、食事や接触によるリスクを高めてしまうため、東京、大阪関西圏、愛知、福岡などで感染が止まらなくなっています。

悪いことに、政府はこういうリスクに向き合えず、他国と比べて検査数が圧倒的に少なく、感染経路が追えない多くの「隠れ感染」を生み出し、院内感染や高齢者施設やライフラインの感染を生み出しています。その結果、外出自粛によって感染数はいったん減るものの、隠れてしまうので、外出自粛を解除するとまた感染数が増えてしまう。外出自粛をすれば経済への打撃が大きく、ウィルスで死ぬのか経済で死ぬのか、感染防止のための外出自粛か経済活動の自由かというジレンマにはまってしまいました。

気候変動のリスク

いま一つは、気候変動のリスクです。これは新型コロナウィルス以前から起きている大問題です。地球温暖化は、台風・干ばつ・集中豪雨などの自然災害、水や農作物の不足、海面の上昇で水没する土地、眠っていたウィルスや細菌の発生など、生きていく環境の持続可能性を失わせます。しかし、ウィルス感染とは違う意味で、とても厄介です。この気候変動リスクは生活習慣病のようで、じわじわ押し寄せてくるものだからです。毎日何かをしなくても当面は生きていけますが、日々確実に地球温暖化のリスクは表面化していきます。

そのために、経産省・資源エネルギー庁と電力会社と御用学者たちから構成される「原子力ムラ」は、当面「効率的」だとして原子力発電や火力発電のような大規模な発電を追求してきました。しかし、これがひどい習い性に陥ってしまい、コストが高くなり、しかも社会的に見て犯罪的な存在と化しています。福島第一原発事故を引き起こしたにもかかわらず、経営者も監督官庁も責任を厳しく問われることなく、重大事故のコストを納税者と電気利用者に押しつけながら、東京電力をゾンビ企業として生き延びさせています。それどころか、この間に暴露されたように、福井県の高浜町助役を媒介にして、地元の原発関連企業から関西電力経営陣に巨額の闇マネーがばらまかれていました。総括原価で認可された電力料金から、独占的電力会社の経営者にキックバックされていたのです。

このように原発はとてつもなくコストが高いエネルギーなのに「最も安い」という虚偽宣伝が行われ、こうした中で安倍晋三政権は原発再稼働と原発輸出を推進してきました。原発は最もコストが高いエネルギーとなったので当然ですが、イギリス、トルコ、ベトナム、リトアニアなどへの原発輸出はことごとく失敗してきました。

多くの国民・住民の反発があるために、ほとんどの原発は再稼働できなくなっています。2020年8月現在、再稼働がなされた原発は九州電力玄海3・4号機、関西電力大飯《おおい》4号機と高浜原発4号機のわずか4基です。関西電力大飯3号機、四国電力伊方《いかた》3号機は定期検査中で、関西電力高浜3号機、九州電力川内《せんだい》1・2号機は、テロ対策で原発に義務付けられた「特定重大事故等対処施設」の建設遅れで停止中です。

ところが、電力会社は再生可能エネルギーではなく、石炭火力発電を建設し、輸出し、稼働させています。しかし、石炭火力発電所の輸出は地球温暖化をもたらす「化石賞」として国際的に非難されています。加えて、2018年9月6日未明、北海道胆振《いぶり》東部に発生した最大震度7の地震が北海道全域にブラックアウト（停電）を発生させたように、大規模火力発電は地震など自然災害リスクに脆いことが露呈しました。

原発や火力発電といった大規模発電は、電力会社の地域独占を成り立たせている基盤なのですが、このようにコストが著しく高く、地球環境を悪化させ、自然災害のリスクに脆く、その仕組みは不正や汚職に満ちています。

既存の大手電力会社の利益を優先して原発や火力発電にこだわればこだわるほど、日本はガラパゴスと化して世界で起きているエネルギー大転換から取り残されてしまいます。ヒートアイランド現象とともに、エネルギーを創らず消費するだけの大都市は社会全体のコストになっています。そして、コストが安く、地球環境を守り、災害リスクに強いのは、地域で創る小規模分散型の再生可能エネルギーになっています。しかも、それが爆発的な勢いで伸びてきているのです。

情報通信技術の遅れとリスク

世界的に進歩の著しい情報通信と情報管理も、日本ではとてつもなく古くさく、リスクに満ちています。大失敗した住基ネットのつぎはぎでできているマイナンバーにたくさんの情報を集中管理する仕組みは、使い勝手が悪いあげくに、情報漏洩の危険性に満ちた、とんでもない時代遅れの代物です。生体認証もなく分散管理の仕組みもなく、一生涯同じ番号でプライバシーにかかわる多数の個人情報を取り扱います。

クラウド・コンピューティングでは、アマゾン、グーグル、マイクロソフト、オラクル、IBMなどのアメリカIT企業、バイドゥやアリババなどの中国IT企業がシェアを競い合っていますが、日本の富士通もNECも存在感は全くありません。5G（第5世代通信）でも、ファーウェイ、ZTEの中国企業、北欧のエリクソンやノキアが特許とシェアを持ち、そこでも日本のIT企業は存在感が全くありません。いまや日本はIT後進国で、ひたすら時代遅れの「官需」で生き残っている状態なのです。

個人情報保護や情報の分散管理でも日本は後進国そのものです。通信傍受法やNシステムなどで「犯罪」を取り締まるようになっていますが、公安警察などがGPS追跡に関して事前に本人に通知する義務がなくなり、覆面追跡が可能になっています。プライバシーが侵害されていても、本人にはわからないのです。

他方、企業による個人情報の売買も野放図な状態になっています。2014年に発覚したベネッセコーポレーションの顧客情報流出事件で、462人の被害者への慰謝料など計3590万円の損害賠償請求に対して、1人当たり3300円、計約150万円の支払いで終わりました。結局、ベネッセの賠償責任は認めず、損害賠償請求は棄却されました。2018〜19年にかけてリクルート・キャリアが運営する就職情報サイト「リクナビ」が、個人情報である就職内定辞退率予測を企業に販売しましたが、個人情報保護委員会の勧告だけで済み、経営陣の責任は問われませんでした。

日本は個人情報に関して無法地帯に近い。そういう時代遅れの状況下で、バイオ医薬の分野では情報技術を使って個人の医療情報を扱う精密医療が進んでいます。ところが、この分野でもマイナンバーを使うというとんでもなく時代錯誤な事態になってきています。

新型コロナウィルスでも、韓国や台湾など東アジア諸国を中心にしてロックダウン（都市封鎖）をせず、GPSによる個別追跡システムが活用されるようになっています。ところが日本では、検察法改正のように内閣が恣意的に検察幹部を任用できるとなれば、公安警察が政府に不都合な人間を追跡・尾行するのに悪用できるようになってしまいます。このアナクロな「独裁」政権の下ではプライバシーがいつ侵害されるかわからず、このためにますます時代に取り残されてしまいます。今のところ、ブルートゥースを使ったコンタクト・トレーシング(COCOA)は自発的同意に基づいた仕組みになっているものの、プライバシーへの不安もあって本格的な利用まで進んでいません。

プライバシーの侵害を回避するには、国会の機能を回復させ、与野党が合意して時限立法で実施し、個人情報を盗んだり悪用したりして法律に違反する場合には厳罰の対象としなければいけません。現在のように、警察が勝手にGPS追跡をしたり個人情報を容易に利用できたり、リクナビやベネッセのように個人情報を勝手に売買したりする行為は厳罰に処すべきです。そのうえで、個人情報が特定できないように感染者を番号化する匿名化技術を導入し、個人情報を厳格に管理する仕組みが必要になります。情報通信においても、個人情報保護の観点から分散管理が基本です。そして権力の分散によるチェック・アンド・バランスが不可欠なのです。

このように3つのリスクに典型的に示されているように、大都市の過密こそが人類の生存を脅かす大きなリスクになりました。社会を防衛するには否応なしに、社会システムに「分散革命」を起こさねばなりません。そこでは、政府がいう小手先の「新しい生活様式」のような矮小なものではなく、社会の仕組みそのものを地域分散型に変革していく本当の「新しい生活様式」が求められています。それは、地域で自立して経済を営み、そこで仕事が成り立つような、本格的な地域分散型の社会なのです。

2　新型コロナ大恐慌

アメリカ経済の大打撃

ＧＤＰが世界第１位のアメリカは、新型コロナウィルスの感染者数でも世界第１位です。それゆえ新型コロナウィルスは、１９３０年代の大恐慌並みの世界経済の混乱をもたらしています。

しかし、そこに至るプロセスは全く違っています。１９８０年代以降、金融緩和が主たる景気対策の手段となり、金融自由化とともに景気循環は「バブル循環」となりました。余ったマネーは株式や不動産の価格をつり上げてバブル経済をもたらします。やがて借金漬けの投機になって破綻し、バブル経済は潰《つぶ》れていきます。リーマンショックは深刻な不況をもたらしましたが、結局、元に戻ってゼロ金利と大量の金融緩和を繰り返して、再びバブルを作り出しました。

それに対して、新型コロナがもたらす不況は、これまでのバブルが崩壊していくパターンとは全くちがっています。今回は、バブルが崩壊する前に、最後にやってくる遅行指標の雇用から、いきなり悪化しているのです。アメリカでは、国家非常事態宣言が出された3月中旬以降の10週間で失業保険申請数が4000万件を超えました。アメリカの4月の失業率は14・7%に達し、1930年代の大恐慌以来の最悪の水準に達しました。コロナの感染者は黒人・ヒスパニックが多く、失業もこういう層から起きています。2020年5月25日にミネアポリスにおいて、白人警官がジョージ・フロイドさんの頸部を圧迫して殺害し、それをきっかけに全米各都市で激しい抗議運動が発生する事態に陥りました。

ウェスト・テキサス・インターミディエイト（WTI、テキサス西部などで産出される原油）の原油先物価格は一時期1バレル＝20ドルを割り、6月に入って40ドル前後に回復したものの、依然低水準にとどまっています。シェールオイルの新規油田開発コストは1バレル＝50〜60ドルですから、採算割れとなるため、多くの油井が止まりました。ローン担保証券（CLO）は82兆円規模になると言われていますが、原油安に伴ってシェールオイル企業の社債やCP（コマーシャルペーパー。無担保の約束手形）の破綻をもたらし、それに基づくCLOが金融市場の破綻要因になりかねません。そこに大量に投資している日本の金融機関も危うくなっています。さらに、アメリカの4月の新規住宅着工数が30・2%の大幅減少となりました。やがて住宅バブルが崩れかねません。今回は、実体経済の悪化がやがて金融危機をもたらすという通常の展開とは逆になっているのです。

5月15日に発表されたアメリカのＦＲＢ（連邦準備制度）の金融安定報告も、家計および企業の財務悪化によって金融セクターは「重大な」脆弱性に直面していると警告しました。また同月26日のＥＣＢ（ヨーロッパ中央銀行）の金融安定報告も、今年のユーロ圏経済が約10％のマイナス成長に陥るとの予想を踏まえ、企業の債務危機が金融セクターの脆弱性をもたらしかねないとしています。

こうした報告に基づいて、ＦＲＢは「セカンダリーマーケット・コーポレートクレジットファシリティー（ＳＭＣＣＦ）」で、米社債上場投資信託（ＥＴＦ）の買い入れに続いて、公開市場にアクセスできない中小企業に貸し付ける「メインストリート貸し付けプログラム（ＭＳＬＰ）」の運用を開始しました。これまでバブルが崩壊すると、中央銀行が大規模な金融緩和を行ってジャブジャブに流動性を供給することで、銀行をはじめ金融機関が破綻しないようにしてきましたが、いまや中央銀行が直接、企業に流動性を供給することで潰れないようにしているのです。もはや資本主義は機能停止しているかのようです。

アベノミクスの終焉

日本経済も経済指標が次第に悪化してきています。

今年の1～3月の実質GDPが対前期比でマイナス0・9%。年率換算で3・4%のマイナスになりました。4月に入って悪化しています。インバウンド（外国人観光客）が99・8%減少し、4月の輸出額も対前年比で21・9%減少し、4月の貿易赤字は9304億円になりました。5月も、輸出額が28・3%減少し、貿易赤字は8334億円に上っています。5月の経常収支も、黒字が27・9%も減少しています。そして、1月末から7月1日までで雇い止めが3万1710人に上っています。また4月と5月の消費者物価上昇率がマイナス0・2%に、企業物価指数は5月に対前月比でマイナス0・4%、対前年同月比でマイナス2・7%になりました。ついにデフレに逆戻りです。

アベノミクスによって、7年間も日銀は大規模な金融緩和を続けてきたために、出口のないねずみ講に陥り、伸びきったゴム状態になっています。新型コロナの発生で、日銀は国債買入制限を撤廃しましたが、もはや国債残高の約半分を日銀が持っており、これ以上の国債購入は難しく、まさに第2次大戦中の「戦時財政」に似た状態に陥っています。実際、国債市場も株式市場も官製相場となって、プレーヤーは非常に限定されており、市場としてのシグナル機能はほぼ麻痺しています。大量のマネーを供給してきた結果、株価も不動産もバブル状態になっていました。新型コロナウィルスの世界的流行とともに実体経済が悪化し、不安定化し、やがて本格的にはじけていくリスクに直面しています。

日本の地方銀行や信用金庫などの中小地方金融機関は、マイナス金利政策で収益構造が悪化してきたので、経営難に陥っています。しかし、問題は地方金融機関だけではありません。日銀と金融庁が、2020年6月2日に、邦銀のCLO（ローン担保証券）投資に関する共同調査を発表しました。日銀の超低金利政策で、日本の金融機関は高い運用利回りを求めて海外でのCLOというリスク投融資をしたためです。調査によれば、約80兆円もあるCLOのうち、12兆8千億円を農林中金や三菱UFJ銀行、ゆうちょ銀行といった邦銀が購入しています。ほとんどがAAAランクであるとされていますが、損失はすでに5千億円以上に及んでいます。先述したように、FRBは社債やCP市場を金融リスクの震源と見なして、異例の措置としてSMCCFやMSLPで救済に乗り出していますが、うまくいくかどうかわかりません。

このまま外出自粛と解除を繰り返していくような事態に陥れば、何度も財政支出を増やして直接給付を繰り返すことになります。それでは出口がなくなってしまい、展望は開けません。膨大に出したマネーはやがて爆発してハイパーインフレになるリスクシナリオも次第に現実味を帯びていきます。ただし、今のように、物があふれていて不況では、いくらマネーを出しても循環していかないので、通貨発行量を増やしただけではハイパーインフレは起きません。歴史的に見ると、終戦直後の物資不足を契機にして急激な物価上昇が起きたように、物流などライフラインが新型コロナウィルスの感染で壊れると、終戦直後のように物不足が表面化し、アベノミクスで7年間も金融緩和を続けてきた結果、余ったマネーが流れ込んで一転してハイパーインフレのリスクが生じるのです。

もう一つは、デフォルト（債務不履行）が起きた場合、発行したマネーは紙くずになってしまいます。もし新型コロナウィルスが貿易や経常収支に悪影響を及ぼすようなことになれば、このデフォルトが現実化する危険性が出てきます。ただし、これはしばらく時間がかかるでしょう。とりあえず、ハイパーインフレを防ぐにはライフラインを守る努力が必要だということです。

最後に問題になるのは、7年間もの金融緩和のツケとしてもたらされた産業衰退です。いまはエネルギー、バイオ医薬、情報通信を中心に、産業技術の歴史的大転換が起きている時代です。日本はそうした動きについていけず、産業衰退は恐ろしく加速しています。アベノミクスは、こうした大転換から背を向けて、問われるべき経営者の責任を問わず、多くの企業がゆで蛙になっていくのを放置してきたからです。

実際、バブルが崩壊しても福島第一原発事故が起きても、ゼロ金利で金利負担を負わずに、法人税減税や繰越欠損金などで救済していけば、ひたすらゾンビ企業を救うことになっていく。東京電力や東芝など重電機メーカーなどはその典型です。構造改革特区や国家戦略特区に見られる「規制緩和政策」で恩恵を受けたパソナや加計学園は、癒着と利益誘導にまみれており、画期的な新しい産業を生み出すことはありませんでした。いまや東京オリンピック、インバウンド、カジノ誘致といった安倍政権の「成長戦略」も悲惨な結末を迎えようとしています。もはや産業戦略と呼べるものは何もなくなっているのです。

その一方で、新型コロナウィルスが国同士の相互関係を分断していく状況下で米中貿易戦争が激化することで、分断は一層激化しています。まるで第2次世界大戦前であるかのように、世界はサプライチェーンも含めてブロック化の道をたどっています。石油ショック以降、対外ショックのたびに繰り返してきた円安誘導と賃下げによる輸出主導の景気回復は、もはや不可能です。

実際、中国製造2025[1]の影響で貿易黒字になった2016～17年を除いて、貿易赤字

1――習近平指導部が2015年5月に発表した産業政策で、次世代情報技術など10の重点分野を設定し、製造業の高度化を目指すもの。

が定着しつつあります。先述したように、２０２０年4月には輸出が対前年比約22％も減少し、９３０４億円もの貿易赤字を記録しました。5月の輸出額は28・3％減少し、貿易赤字は８３３４億円に上っています。さらにインバウンドも激減し、サービス収支も減少し、経常収支も悪化しています。高齢化とともに民間貯蓄の減少傾向が続いていますので、経常収支が赤字化していけば、国債を国内で消化することが困難になります。外国人投資家の国債購入割合が増加していけば、国債の格付けが悪化するたびに国債価格は下落し、財政赤字問題が深刻化していくでしょう。

これまでのように、延々と財政赤字を出し続け、日銀がファイナンスすれば、税金を納めずにいい目をみ続けることができるという虚構は続かなくなるでしょう。結局、現在恩恵を受けている高齢世代のツケを、未来の若い世代が負わされることになるのです。

3　感染防止か経済かというジレンマ

２０２０年5月26日から、政府は緊急事態宣言を全国的に解除し、6月19日に東京都も休業自粛を全面解除しました。しかし、新型コロナウィルスの感染も死亡も止まっていません。休業自粛を全面解除して二週間後から徐々に東京都の感染が増え始め、7月第2週に入って

1日当たり200人を超えました。そして、その後、300人、400人と増えています。東京オリンピック強行を最優先にしてきた結果、PCR検査が圧倒的に不足しています。科学的根拠やデータが乏しいので、正しい政策がとれなくなってしまうのも当然です。

検査制限の誤り

問題の出発点は、クルーズ船ダイヤモンド・プリンセスでの〝監禁〟による712名の乗客乗員への感染拡大（死者13名）でした。2月9日までに感染した乗員20人のうち15人は食事の担当でしたが、安倍首相が国会で「入国拒否」と答弁したために、そのまま1週間以上、監禁状態に置かれてしまったのです。

すでに新型コロナウィルスの配列は中国の巨大遺伝子企業BGIが解析し、巨大製薬企業ロッシュが検査キットを出していたにもかかわらず、2月8日に国立感染症研究所で開かれたコロナ対策会議では、感染研によるLAMP法での開発をしきりに議論していました。その後、PCR検査は一向に広がらず、クルーズ船での隔離も不十分なまま、感染拡大が進んでしまいました。そして2月17日早朝、アメリカは自国民救出のために救援機を派遣し、その後、オーストラリア、韓国、香港などが次々と救援機を送る事態となったのです。にもかかわらず、政府は隔離は適切だったと強弁し、乗客を隔離せず、そのまま帰してしまい、感染を全国にまき散らしてしまいました。

こうした中、安倍晋三政権と専門家会議は2月17日に、PCR検査の窓口は「帰国者・接触者相談センター」のみとし、検査を受けられるのは「37・5度以上の発熱が4日間以上続く」者とするという条件を設け、その後もPCR検査の実施対象を制限してきました。さらに、小池百合子東京都知事のブレーンである国立国際医療研究センターの大曲貴夫《おおまがりのりお》医師が2月29日付の「論座」で「追い詰められる医療現場　新型コロナ治療最前線医師に聞く、医療崩壊を防ぐポイント」の取材記事に登場し、検査に殺到すると医療崩壊を招くという珍妙な主張をして検査制限論を定着させてしまいました。6月初めの段階でも、日本の人口あたり検査数は204の国と地域のうち159位になり、ドイツの20分の1、韓国の約8分の1にすぎない状況を作り出してしまったのです。

4月6日に「緊急事態宣言」の発出を決めた際に安倍首相は、「PCR検査を1日2万件に増やす」と会見で明言したにもかかわらず、検査を受けられるのは8千人台が精いっぱいで、約束の2万件にはほど遠い水準が続きました。しかも、感染者数や死者数の集計がしばしば漏れており、正確な数値さえ把握できなくなっています。

その中で、軽症とされ、自宅待機のまま容態が急変して死亡する事例が起きるようになり、ようやく3カ月近くたって、検査を制限する「37・5度の発熱が4日間」という条件が少し緩められました。5月21日までに全国の警察が扱った「変死体」などの26の遺体は、「軽症」で自宅待機のままだったり、救急車で病院に担ぎこまれたりした事例で、死後の検査で陽性が判明したケースも多く出ています。これも検査体制の不備と無関係ではありません。

いち早く危機を収束させることこそ、現時点で最善の景気対策です。そのためには危機管理の鉄則を守らなければいけません。まず、検査をせず問題を隠せば隠すほど、問題は大きくなります。つぎに、最もまずいのは、戦力（資源）の逐次投入です。リスクを見極め、果断に一気に処置をとることが不可欠です。危機への対処法は、かつての不良債権問題と基本的には同じです。

当然のことですが、外出自粛は「隔離」ではありません。ひたすら「ステイホーム」を続けているだけでは、家庭内感染がじわじわ広がりかねないし、〝夜の街〟での感染集積地が隠れ、病院や高齢者施設での院内感染のリスクも高まり続けます。

とくに東京都内の院内感染はひどいのに、その実態はほとんど隠蔽されています。病床が400の永寿総合病院では、5月半ばまでに214人の感染者と43人の死者、山田記念病院では71名の感染者と6人の死者が出ています。中野江古田病院では160名が感染し、13人が死亡しています。他にも、慶應病院や慈恵医大病院、都立墨東病院、がん研有明病院など地域の基幹病院でも、新型コロナウィルスの院内感染の発生が報告されています。神奈川県でも院内感染が深刻化していきました。ところが、次々起きているこうした院内感染の状況も、患者が死に至った経緯や原因も十分に情報開示されているとは言えません。

外出自粛を解除しても、また感染が拡大し、程度の問題はあれ、再び外出自粛を実施せざるをえなくなり、だらだらと泥沼に陥る危険性があります。実際、北海道では緊急事態宣言の発出で感染拡大が収束したかに見えましたが、解除後に第2波が襲ってきました。札幌市内の北海道がんセンター、札幌呼吸器科病院などを中心に院内感染や高齢者施設での感染拡大が進んだからです。その後、北九州市でも感染ゼロになった後、北九州総合病院、産業医科大学病院、門司メディカルセンターなど地域の中核病院で院内感染が起きて第2波が襲ってきました。7月に入って、東京新宿の歌舞伎町、大阪のミナミ、名古屋の錦三丁目、福岡の中洲など繁華街中心がエピセンター（感染震源地）となって、次々と感染を拡大していきました。

感染防止か経済かというジレンマ

この間の経緯を簡単に振り返っておきましょう。政府は4月7日に緊急事態宣言を出しました。5月4日に緊急事態宣言を5月31日まで延長し、外出自粛が引き続き求められました。しかし、この措置は多くの業種で経営上の死活問題になりかねず、特に立場の弱い非正規雇用者をはじめ、中小零細企業や商店にとって厳しいものになりました。厚労省によれば、7月30日時点で雇い止めが、4万32人に上っています。そのうち非正規労働者が58%を占めています。また帝国データバンクによれば、8月5日時点で、いわゆるコロナ倒産（負債1000万円以上）が413件、負債総額は約2438億円になっています。

そうしたなか、10万円の直接給付と最大200万円の持続化給付金（個人事業者は100万円）、雇用調整助成金などの拠出が決まりました。ところが、持続化給付金を委託された「一般社団法人サービスデザイン推進協議会」の委託料は769億円。この協議会を仕切っているのが、竹中平蔵氏が会長を務めるパソナと広告大手の電通です。ポイント還元事業を委託した「一般社団法人キャッシュレス推進協議会」も、受託費の93%にあたる約316億円で大半の業務を電通に再委託しており、ピンハネがあまりに大きすぎます。まるで火事場泥棒のようです。さらに第2次補正予算の予備費が10兆円に達しています。検査を制限する間違ったコロナ対策で、委託費が膨大にピンハネされている事業が、国会のチェックなしに決められていく。

検査数が圧倒的に少ないために、「直近1週間の10万人当たりの感染者が0・5人程度以下」などの安倍晋三首相の解除基準も、「1週間の平均で感染が1日20人未満」などの小池百合子都知事の解除基準も、客観的な根拠に乏しいものです。実際、休業自粛の全面解除後、東京都は7月に入って感染数が連日100名を超える状況になり、さらに休業再要請の基準である50名も超え、7月第2週に入って1日200名以上になっても、次々に基準は緩められ、ついにはいかなる数値基準もなくなってしまいました。

7月以降の感染拡大が仮にいったん収まっても、今年の冬から来年にかけてぶり返す可能性もあります。だとすると、新型コロナウィルスとの闘いは持久戦にならざるをえません。仮に外出自粛を緩和しても、再び感染が広がれば、また外出自粛を繰り返す可能性が高い。それでは経済的に行き詰まってしまうでしょう。ジレンマです。しかも、政府の財政支出もやがて限界に突き当たります。もしライフラインが感染拡大のために麻痺した場合、ハイパーインフレのリスクが表面化していきます。ウィルスで生きていけないか、経済で生きていけないか――こうしたジレンマに陥ってしまうのです。

危機管理の鉄則

ウィルスで生きていけなくなるか、経済で生きていけなくなるかというジレンマを防ぎ、ある程度自由な経済活動を保証するためには何をすべきでしょうか。何よりまず新型コロナ対策によっていち早く感染拡大を収束させることが、最善の経済対策だということです。それは危機管理の鉄則に従ったものであるべきです。

かつての不良債権処理問題やＢＳＥ（牛海綿状脳症）問題が参考になります。すなわち、まず全ての検査を実施し、問題の規模や本質をきちんと把握することです。繰り返しますが、リスクを見極め、一気に処置することが不可欠なのです。

たとえば、不良債権問題でいえば、厳格な不良債権処理を行い、破綻先債権、破綻懸念先債権、要注意債権、正常債権などリスク別に不良債権を切り分け、必要な貸倒引当金を積みます。それで自己資本が不足すれば、不正会計をした経営者の責任をとらせ、公的資金を注入するのです。あるいは銀行を国有化して、不良債権をバッドバンク[2]に集めてゆっくり処理し、残りを再民営化する方法もあります。ＢＳＥ問題の時も、原因となる肉骨粉の輸入を禁止し、全頭検査を実施し、餌やホルモン剤などを含めトレーサビリティ（追跡システム）を確立しようとしました。それによってＢＳＥ問題は1年足らずで収まったのです。

新型コロナウィルスの場合、ワクチンの開発は少なくとも2年はかかると言われています。無症状者を含めて全員の精密抗体検査と、症状が見られる者にはＰＣＲ検査を実施し、症状に応じた治療薬を使って治療法を確立していく。たとえば、軽症にはアビガン（ただし妊娠の可能性のある者は除く）、サイトカインストーム（免疫暴走）を防ぐには免疫制御剤のアク

2——金融機関が抱える不良債権を、公的資金で買い取り、管理・処分する機関のこと。

テムラといった具合です。そして、ブルートゥースによるコンタクトトレーシングを使って感染集積地を明確にします。

東大先端科学研究センターが精密抗体検査を実施し、5月1日から2日にかけて都内の病院で採血された500名分の残余検体[3]を調べたところ陽性者は3名、5月25日の福島の病院で採血された500名で4名、5月合計で東京は7名、陽性率は0・7%になっています。単純推計ですが、東京では約9万人が感染したことになり、公式報告の10倍以上になります。潜在的には相当数の「隠れ感染」が存在していると推測できます。

前述したように、このウィルスが厄介なのは、二面性があることです。一方で、感染するとしつこく、時にはサインカインストーム（免疫暴走）を引き起こして死をもたらす事例があります。院内感染で見られるように、重症化した人からは大量のウィルスが排出されます。しかし重症化しない事例もあります。過去の感染歴がわかる抗体検査の結果、日本も含めて中国沿岸部、韓国、台湾、香港、ベトナムなど、今までサーズ、マーズのように広州型のコロナの交叉感染があって、それが免疫記憶になって重症化しにくいと推測されます。たしかに、欧米諸国と比べて東アジアは全般的に感染者数が多くありません。その中でもクルーズ船13名を含めると、日本は8月6日時点の死者数が1048人（NHK集計）で、100万人あたりの死亡率は8人。韓国の6人、中国の3人、香港6人、台湾0・3人と比べて最も高くなっています。検査数が少なく、対策が後手後手になったために、東アジアの中で、相対的に死亡率が高くなっています。このように新型コロナウィルスが二面性を持っているとすれば、網羅的な精密抗体検査によって、症状に応じて細かく対応する必要があります。

とくに、持久戦を戦うには、ライフラインの確保に注力すべきです。病院、高齢者施設だけでなく、警察、郵便、消防などの人と接する分野のほか、物流センターやコールセンター、とくに食料と物流が大事になります。そこで感染が拡大すると、社会に壊滅的な打撃を与えるからです。

分散革命の時代へ

新型コロナウィルスが収まらないかぎり、中小零細企業や非正規雇用を中心にした救済策に追われざるをえません。後ろ向きの財政支出を繰り返しても、じり貧でしょう。先に述べたように、感染集積地における全員のＰＣＲ検査・精密抗体検査をはじめとする抜本的な対策が大前提となりますが、そのうえで、未来へ向けた明確な経済産業戦略が必要です。

3——検査の対象となる血液や尿などで、所定の検査を終了したものを残余検体という。

しかし、トランプ政権が新型コロナウィルス対策を誤って、新型コロナで世界経済が打撃を被るなか、米中貿易戦争以来の対立関係はむしろ激化する方向にあります。日本経済の悪化も進んでいます。問題は、石油ショック以降繰り返してきた円安誘導と賃下げによる輸出主導の景気回復策が今回は通用しない点です。すそ野の広い内需を形成しなければなりません。ところが、7年間も続けてきたためにアベノミクスは「伸びきったゴム」のような状態です。通常の財政金融政策で需要を支えるのは困難です。

世界はいまやエネルギー、情報通信、バイオ医薬といった産業技術の歴史的転換期に入っています。とすれば、先に述べたように、「分散革命」を遂行しながら、新しい産業への投資が主導して分厚い内需を形成していく戦略が不可欠になるでしょう。

当面は情報通信やエネルギーなどを中心とする新しい産業技術に基づいたエネルギー転換を突破口にすべきです。脱化石燃料は、輸入を減少させ、貿易赤字を克服できます。と同時に、感染症のリスクが高い大都市中心から、リスクの少ない地域分散型の経済に変えることが必要になります。

新型コロナウィルスに対するPCR検査も、地域や学校、会社、病院、自治体といったコミュニティー単位で実行していくことが必要になります。ライフラインを守るためにも地域のすみずみまで分散型の検査体制を作らねばなりません。

前に述べたようにエネルギーや医療福祉を支える情報通信分野も個人情報保護や情報の分散管理が重要になっています。

まず地域で小規模な再生可能エネルギーへ投資し、エネルギー自給を普及させることで、大手電力に吸い上げられていた電気代を地域に戻していき、さらに大都市に売電することで、地域内にお金を循環させていくことができます。小規模な再生可能エネルギーは蓄電池で蓄えつつ、ＩＣＴ（情報通信技術）で調整していきます。

つぎに、地方に権限と財源を大胆に渡して、地域単位で医療や介護、保育などの社会福祉を運営します。ＩＣＴの活用によって効率化しつつ、女性を中心に雇用を地域に増やしていきます。農と食も6次産業を基本にしつつ、直売や産直のネットワークを形成していきます。これらを起点に、インフラから、省エネの建物、耐久消費財まで、イノベーションを引き起こすのです。こうして地域分散ネットワーク型の経済へと大転換を実現していくことで、ポストコロナの時代を切り開いていくのです。

第1章

不可逆的な大転換

飯田哲也

1　再生可能エネルギーの「常識」の非常識

「クリーンな純国産エネルギー」

再生可能エネルギーについては、世界でも日本でも、これまでずっと長い間、次のように言われてきました。

「再生可能エネルギーはクリーンな純国産エネルギーだが、コストが高くつくだけでなく、電力供給の面でも不安定。しかも規模が小さいから、発電量は全体のごく一部を占めるにすぎない、取るに足らないエネルギーだ」と。

今でも「専門家」を含めて少なくない人たちが、再生可能エネルギーについて、このように思っているのではないでしょうか。とくに日本では、こうした見方は「常識」となっていると言ってもいいでしょう。

ですが、この通説のほとんどが、今となっては完全に時代遅れとなり、再生可能エネルギーに対する認識としては根本的に間違っているのです。

「時代遅れ」や「認識の間違い」の話をする前に、正しい点もあるので、それについて確認をしておきたいと思います。

それは、「再生可能エネルギーはクリーンな純国産エネルギーだ」ということです。詳しくは後でふたたび触れますが、再生可能エネルギーは、太陽や風力、水力・地熱など自然の力を利用しますから、原子力発電のように放射能や核廃棄物は出ませんし、石炭や石油などを用いた火力発電とちがって、大気汚染物質を排出することもなく、二酸化炭素（CO_2）を大量に出すこともありません。[1] みなさんもご存じのようにCO_2は、地球温暖化の主な原因とされています。再生可能エネルギーは、そういったものを排出することがないので、クリーンなのです。

また、それぞれの地域や国に降り注ぐ自然のエネルギーを活用する再生可能エネルギーは、文字どおり純国産エネルギーです。[2] 太陽光発電や風力発電などの再生可能エネルギーを増やせば増やすほど、海外からの化石燃料やウラン資源の輸入を減らすことができますから、エ

1――再生可能エネルギーの中で例外はバイオマスです。燃焼を伴うため火力発電と同様に大気汚染や二酸化炭素を排出する可能性があり、大気汚染を生じない燃焼方法かどうか、また炭素循環で見て正味の二酸化炭素排出量が減るかどうかを見る必要があります。

2――木材チップなどバイオマス資源は海外から輸入することができ、実際に東南アジアなどから日本に輸入されていますので、「純国産エネルギー」とは言い切れません。その輸送に要するエネルギーやその木材が切り出された森林の持続性などにも注意が必要です。

ネルギーの自立や安全保障、貿易収支の改善にも役立ちます。

中には、原子力発電はウラン資源を輸入しているにもかかわらず準国産エネルギーと呼ぶ人がいますが、これは明らかな詭弁です。こういう主張をする人は、ウラン資源からプルトニウムを生み出す高速増殖炉と核燃料サイクルを念頭に置いて、いったんウラン資源を輸入したら、それがさらにエネルギー資源を生むという意味で準国産と呼んでいるようですが、そもそも高速増殖炉と核燃料サイクルが完全に破綻しており、今後の実用化の見通しがまったくないばかりか、クリーンな純国産エネルギーである再生可能エネルギーがここまで安く現実的なエネルギー源となった今、高速増殖炉どころか既存の原子力発電さえ続けることが無意味な時代となっているのです。

さて、それでは、どこが「時代遅れ」で「認識が間違っている」のでしょうか。

事実上、タダの電源

第一に、「コストが高い」という点です。

この十年で、太陽光発電と風力発電は急速に普及・拡大し、コストは著しく安くなっています。その変化があまりに速く、日本政府や電力会社、「専門家」、メディアなどが追いついて来れないために、認識も政策も市場も「時代遅れ」になってしまっているのです。

たとえば風力発電ですが、2009年からの10年間で新設の発電コストが70%も低下しています。そのため、10年前（2009年）には、全世界の風力発電の設備は160GW（ギガワット）にすぎませんでしたが、たった10年の間に651GW（2019年）と、4倍に増えているのです。ギガワットというのは、発電所の設備規模を表す単位のひとつで、100万キロワットに相当します。ほぼ原発一基分の発電設備の規模だと考えると、イメージしやすいかもしれません。

太陽光発電に至っては、新設の発電コストはなんと、10年前（2009年）と比べて90%も下がっています。全世界の設備の量も2009年に23GWだったのが、10年後の2019年には627GWと、27倍も増加しています。

かたや原子力発電のほうは、建設コストも運転コストも上昇する一方です。それも無理はありません。

福島第一原発事故で、私たちも思い知ったように、一度事故が起きると、長期間にわたって甚大な被害を及ぼします。原子力発電の歴史は、事故とトラブルの歴史でもあります。事故やトラブルが起きるたびに安全規制が厳しくなってきた結果、建設コストは年とともにどんどん高くなってきており、しかも建設期間もどんどん長くなってきました。その結果、世界全体の原子力発電は、2009年の段階で390GWでしたが、10年たって横ばいか微減の389GWです。

他方、小規模分散技術である風力発電や太陽光発電は、後で述べる「技術学習効果」（ムーアの法則）によって、普及すればするほど技術が改善しコストが低下してきました。このように再生可能エネルギーは、工学技術の性質としても、原子力発電とは真逆なのです。

コストについては、もう一つ重要な点があります。それは、太陽光発電や風力発電など再生可能エネルギーは燃料費がゼロだということです（バイオマスを除く）。その結果、初期投資分を回収し終えたあとは、わずかな維持費だけで済むという、事実上タダの電源になるのです。

「変動」は「不安定」ではない

日本の「再生可能エネルギーの常識」の第2の間違いは、「電力供給の面でも不安定」という点です。たしかに再生可能エネルギーのうち太陽光発電や風力発電などは、天候次第でその発電量が大きく左右されます。しかし、天候でその発電量が変動したとしても、それはけっして不安定であることを意味しません。むしろ、全国に何千基・何万基・何百万基と普及した太陽光発電や風力発電は、地震や津波、台風や豪雨災害などに襲われたとしても、そのすべてが一斉に止まることは考えられません。さらに、近年の気象予測の高度化・ビッグデータ化・リアルタイム化などと組み合わせれば、天候による発電量の変動をかなり正確に予測することができるようになってきています。そのため最近は、世界的には太陽光発電や風力発電を「自然変動電源」（ＶＲＥ[3]）と呼びます。

むしろ、不安定というのは、２０１８年９月に北海道で起きた前代未聞の「全道ブラックアウト」（北海道全道停電）のような事例を指します。

これは、北海道苫東《とまとう》地区に集中して置かれていた３基の大型石炭火力が、約６割の電力を供給していたところに、地震の直撃を受けて、その３基が相次いで停止したことが原因でした。東日本大震災でも、東日本全体の電力設備およそ１００ＧＷのうち、地震と津波による被害や原発などの非常停止によってその３割、30ＧＷもの電源が一瞬にして失われました。そのため、計画停電などを余儀なくされました。つまり、大型電源が予期せず停止することこそ、不安定なのです。発電量が自然変動することと不安定であることが違うということはご理解いただけたでしょうか。

世界では、再生可能エネルギーと電力需給に関する考え方の大転換が起きました。

3——Variable Renewable Energy の略称。これからの電力やエネルギーの中心が風力発電と太陽光発電になることを踏まえて名付けられた。

日本ではいまだに「ベースロード」が「常識」ですが、それが古い考えとして打ち捨てられ、ものすごく安くなった太陽光発電や風力発電という自然変動電源を最大限活用する「柔軟性」という考え方に変わったのです。

柔軟性とは、自然変動する太陽光発電や風力発電の変動を電力系統で柔軟に受け入れることができるようにする考え方です。具体的には後述しますが、①気象予測、②大規模電源の調整、③需要調整電源の活用、④電力移出入、⑤需要側での調整、⑥市場（マーケット）、などを組み合わせて活用します。つまり、再生可能エネルギーが「電力供給の面で不安定」という言い方自体がナンセンスなのです。

無尽蔵かつほぼ永遠のエネルギー

もう一つ、「再生可能エネルギーは取るに足らないエネルギー」という点も間違っています。

資源量で見ると、太陽エネルギーが地球に降り注ぐ量は、人類が使っているエネルギー量の数千倍[4]あります。つまり、「取るに足らない」どころか、膨大にあって無尽蔵かつほぼ永遠のエネルギーなのです。

確かに10年前や20年前の普及量を見ると「取るに足らない」と言われても、やむを得ないかもしれません。10年前の太陽光発電と風力発電は、世界全体のエネルギー消費量の1%以下、電力だけで見ても3%以下でしたから。

10年後の現在（2019年末）、太陽光発電と風力発電は世界全体のエネルギー消費量の約2%、電力だけで見ると風力発電6%、太陽光発電3%、計9%となっています。電力源の中心というにはまだ少ないですが、注目すべき点は、その驚異的な成長スピードです。とくに太陽光発電です。

太陽光発電は、およそ30年前、1990年代に入って商業的な普及が始まりました。ドイツが2000年に固定価格買取制度（FIT）を導入してから普及が加速し、2002年には世界全体の電力消費量の0・01%、2009年には0・1%、2015年には1%と、6〜7年ごとに10倍増してきています。このペースで普及するなら、10年後の太陽光発電と風力発電は量的にも間違いなく数十パーセントを供給していることでしょう。

こうして、風力と太陽光の発電コストは、いまや世界の多くの国や地域で石炭火力発電のコストと同程度か、もしくは下回っており、今後も間違いなく下がってゆきます。

4——地球に到達する太陽エネルギーは385万エクサジュール（10^{18}J）に対して、人類のエネルギー消費量はおよそ500エクサジュール。

ＩＲＥＮＡ（国際再生可能エネルギー機関）は「２０５０年には、再生可能エネルギーの発電電力量は、世界全体の86％に達する」と予測しています。ドイツのある研究機関は、２０５０年には世界全体のエネルギーのすべてを太陽光発電と風力発電を中心とする再生可能エネルギーでまかなうことが可能という報告書さえ出しています。

文明論的なエネルギーの大転換

つまり、「再生可能エネルギーは安くて信頼できる発電方式で、しかもクリーンで純国産エネルギー。それに加えて、電力を安定的に供給できるエネルギー」なのです。これは、文明論的なエネルギーの大転換と言ってもけっして大げさではありません。18世紀の産業革命は石炭と蒸気機関から始まり、その後20世紀は石油と電力の世紀となりました。つまり人類の近代文明は、化石燃料に支えられてきました。これがついに、ほぼ無限の太陽エネルギー文明へと急速に移行しつつあるのです。

地球に偏在し、一部の国や企業に独占されてきた枯渇性の地下資源である化石燃料資源から、地球上あまねく降り注ぐ太陽エネルギーへの転換は、エネルギー産業にとどまらない、産業構造や国家間の地政学、都市と地方との関係を含めた見直しを迫ることになると思われます。

しかも再生可能エネルギーは、先ほど述べたように、クリーンなエネルギーです。グレタ・トゥーンベリさんが訴えているように、気候変動は深刻な危機を地球にもたらしつつあります。たとえば、地球温暖化が進み、グリーンランドや南極大陸の氷が溶けていけば海面が上昇し、海抜が低い地域の水没リスクが高まります。それだけではありません。気候変動によって、地域によっては高温、干ばつ、豪雨や防風災害など異常気象が頻発するようになり、農作物や生態系が甚大な被害を受ける可能性もあるのです。

今回の新型コロナウィルスのパンデミックで、世界各国で都市をロックダウン（封鎖）し、外出禁止令を出し、国境を閉鎖し、国内外の移動を厳しく制限した結果、電力需要や交通量の大幅な縮小が起き、世界経済的にも大幅な縮小が見込まれています。その結果、温室効果ガスである二酸化炭素の排出量も、今後の第2波などパンデミックの展開やその経済活動への影響次第ですが、昨年に比べて1割程度少なくなると予測されています。

ところが、今の産業構造やエネルギー構造のままで経済活動を再開した場合、今年実現できる二酸化炭素の削減量では、本来求められる地球温暖化対策——2050年までに二酸化炭素など温室効果ガスの排出量を正味ゼロにする——から見ると、焼け石に水ほどの効果しかありません。新型コロナウィルスで全世界が経験したあれほどの経済活動の縮小でさえ、地球温暖化対策にはほとんど役立たないのです。

こうした中にあって再生可能エネルギーは、地球温暖化問題に対処する上で、決定的に重要です。「化石燃料や原発から、再生可能エネルギーへ丸ごと移行する」というエネルギーシフト以外に、今私たちが直面する気候変動の危機に対応することができないからです。

本章ではまず、世界の再生可能エネルギーが今、どのような状況にあるのか、これからどうなっていくのかを見ていきます。さらに、再生可能エネルギーの加速度的な普及が可能になった理由についても解説した上で、再生可能エネルギーをめぐる日本の状況を概観します。

読者の中には、デンマークが「再生可能エネルギー大国」と呼ばれていることを知っている方も少なくないと思いますが、なぜこの国が再生可能エネルギーに積極的に取り組むようになったのか、その背景なども紹介したいと思います。そして、気候変動への危機感を背景に欧米で進められるようになった「グリーン・ニューディール」についても触れます。

2　世界の再生可能エネルギーの現在と未来

エネルギーにおけるコペルニクス的転回

「再生可能エネルギー」とは英語で「Renewable energy」と言い、ほぼ未来永劫にわたって再生できるエネルギーのことを指します。「持続可能なエネルギー」、あるいは自然資源がもとになっていることから「自然エネルギー」と呼ばれることもあります。

具体的には、太陽光、風力、バイオマス、地熱、水力、波力、潮力を指します。

バイオマスというのは、林地残材や木材加工の廃材、家畜の排せつ物、食品廃棄物などのエネルギーを利用した発電方法で、大きく分けると、これらの資源を直接燃やす、熱処理してガス化して燃やす、メタン発酵させ、そこで発生したガスを燃やす――の3種類があります。

太陽光を含めて7つの再生可能エネルギーを挙げましたが、このうち地熱と潮力を除けば、いずれも太陽エネルギー由来のものです。

水力も風力も波力もバイオマスも、太陽エネルギーの働きがなければ生じ得ません。水力は、太陽の熱で蒸発した水が雨や雪となって高い場所に降り、下流へと流れてゆきます。その水の重量と落差のエネルギー（位置エネルギー）を用いて発電します。風力は、太陽によって生み出された地球レベルの温度差による気流のほか、高気圧と低気圧、大陸と海洋といった広域の風の流れや、海風・山風など地域レベルの風もあり、それらが季節や昼夜などの時間軸で、ある程度安定した風の流れを生み出します。波力は主に風によって生み出されます。バイオマスは、植物が光合成で蓄えたエネルギーが起源ですから、太陽ありきと言えるわけです。

ところで、この7つの再生可能エネルギーのうち、すでに実用化され商業的に広く利用されているのは、太陽光、風力、バイオマス、地熱、水力の5つですが、大きく2つに分けて考えることが必要です。1つは太陽光と風力で、これが今後のエネルギー大転換の主役を担います。なぜなら、この2つだけが、膨大な資源量があり、技術学習効果によって今後も飛躍的に普及し、コストも下がっていくと考えられるからです。他の3つ——バイオマスと地熱、水力も、再生可能エネルギーとしていずれも重要なエネルギー源ですが、太陽光や風力のような急速な普及やコストダウンは難しく、むしろ地域で活用する重要なエネルギー源として向き合うことが大切です。

私たちは、今の文明社会を子々孫々に伝え、未来永劫にわたって発展させるためには、よって立つエネルギーも持続可能でなければなりません。原子力も二酸化炭素を排出しないから「持続可能なエネルギー」だという意見を見聞きしますが、これは間違っています。「持続可能なエネルギー」とは、どんな資源を使うのかという「入口論」と、何を排出するのかという「出口論」から、最低条件をはっきりと定義できます。入口論、つまり資源的に枯渇性であれば明らかに持続可能ではありませんし、出口論、つまり廃棄物が環境に与える影響は持続性において決定的に重要です。

入口論（資源論）で言えば、火力の場合は化石燃料を用いて発電し、原子力はウランを使って発電します。いずれも枯渇性の有限な資源ですから、持続可能とは言えません。高速増殖炉が実現すれば、ウラン資源は数千年も利用できるという主張も聞きますが、すでに世界中で失敗し撤退を余儀なくされている、およそ実現性のない技術です。

出口論（廃棄物）で言えば、火力発電は石炭など化石燃料を燃やすため、大量の二酸化炭素（CO_2）を排出します。地球の気温を上昇させる効果をもつ気体を温室効果ガスと言いますが、CO_2はその中で地球温暖化におよぼす影響がもっとも大きなものです。それだけでなく火力発電は、ぜんそくや気管支炎など呼吸器系の疾患を引き起こすＰＭ２・５（微小粒子状物質）や酸性雨を引き起こす二酸化硫黄（SO_2）、窒素酸化物（NO_x）なども排出し、大気汚染を引き起こしています。

また、原発は、福島第一原発事故のようなことがひとたび起きれば、膨大な放射性物質を撒き散らし、土壌や水を汚染して、人が住めない地域が出てきます。現に福島県双葉町では、この町の約５％を占める「避難指示解除準備区域」でようやく避難指示が解除された以外は、今なお原則立ち入り禁止の「帰還困難区域」となっています。それだけでなく、福島第一原発の廃炉作業が終わるまで、国の計画でもあと30年、私見では１００年単位の時間がかかると見ています。これだけ深い爪痕を残し、多くの方たちの暮らしを破壊したということを忘

図1－1　風力、太陽光、原発の世界全体の発電設備量

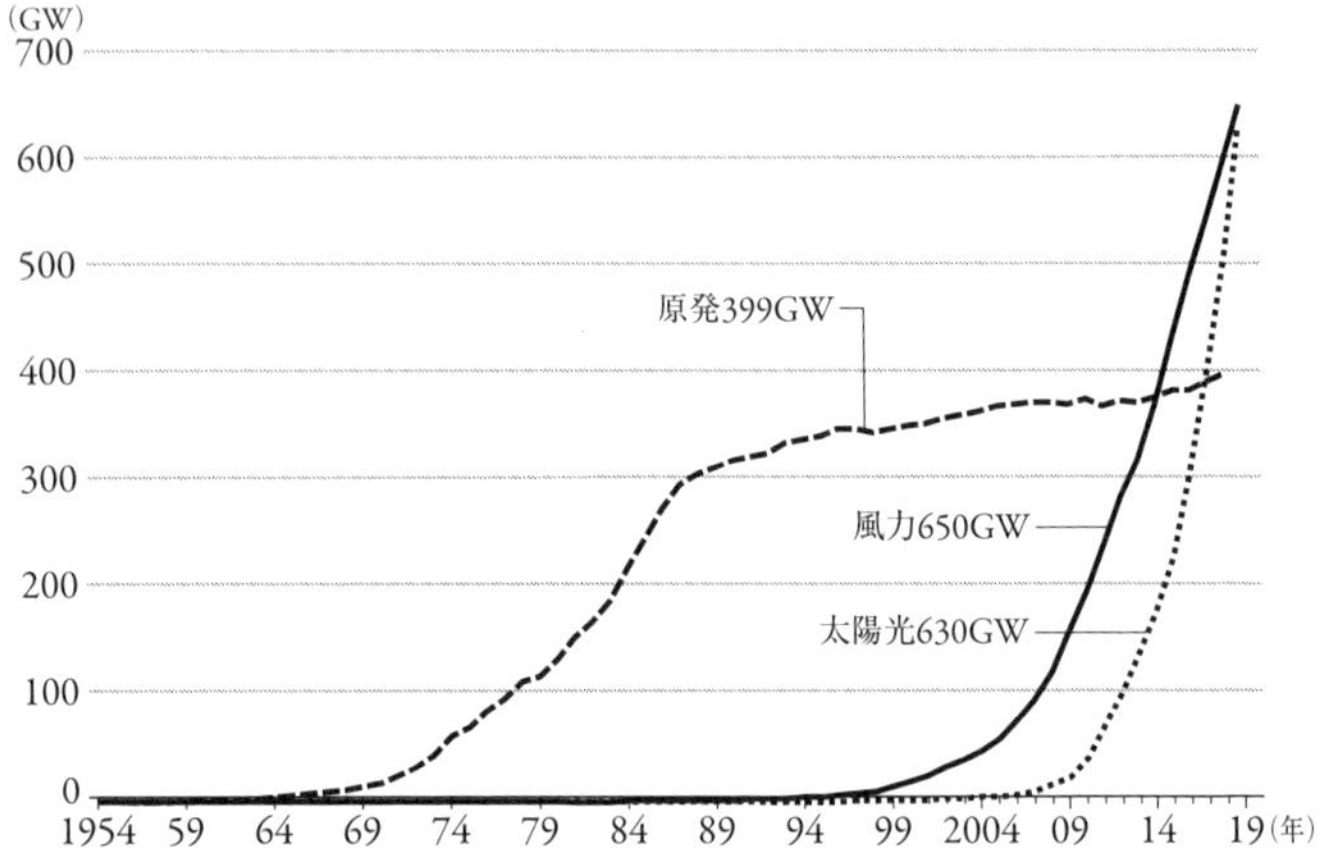

出所：REN21 Global Status Report 2019, IAEA 等をもとに ISEP 作成 .

れてはならないと思います。

しかも、原子力発電の場合、こうした事故もなく無事に稼働し続けたとしても、放射性廃棄物が排出されます。このうち、高レベルの放射性廃棄物では放射能が非常に強く、数万年以上は地下深くに埋めるなどして、厳格に隔離しなくてはならないのです。

以上のとおり、火力発電も原子力発電も、どう見ても「持続可能性」のある発電方式ではないのです。

それに対して再生可能エネルギーで用いられる自然資源は、先ほども述べたように、事実上、無尽蔵かつ永遠で膨大な太陽エネルギーがもとになっています。電気をつくり出す過程で、二酸化炭素も放射性物質も出しません。ですから、今の文明を永続的に保つには、

再生可能エネルギーをベースとする社会に変わる必要があるのです。

実際、エネルギーの大転換ともいうべき変化が、すでに起きています。図1―1は、全世界でみた太陽光、風力、原子力それぞれの、発電設備容量の推移です。ここ数年の間に、太陽光と風力が加速度的に拡大している一方、原子力はほとんど伸びていません。太陽光と風力に追い抜かれています。

かつてコペルニクスは「地動説」を唱えて、それまで支配的だった「天動説」を覆しましたが、それと同じような大転換がいま、エネルギーの世界で起きているのです。化石燃料やウランなどの地下資源を使った「天動説＝地下資源中心主義」（geo-centric）から、「地動説＝太陽エネルギー中心主義」（helio-centric）への急速な大転換です。

再生可能エネルギー普及を可能にした「技術学習効果」

エネルギー転換の主役である太陽光と風力は、小規模分散型のエネルギーです。太陽光の発電は、屋根の上や建物の壁面のほか、遊休地などの空きスペースに太陽光パネルを設置すれば可能です。風力発電も、小規模なものであれば、それほどスペースを必要としません。あとで詳しく紹介しますが、「風力発電の国」といわれるデンマークでは、数キロワットといった小型の風力発電からスタートし、今では数千基もの風車が各地で稼働し、デンマークの電力のほぼ5割を賄っています。

こうした小規模分散型テクノロジーに共通しているのは、普及すれば普及するほど性能が良くなり、単位あたりのコストが下がるという点です。まさに「ムーアの法則」があてはまります。ムーアの法則とは、「半導体の集積密度はほぼ2年で倍増する」という経験則のことで、アメリカの半導体メーカーであるインテルの創設者の一人、ゴードン・ムーア博士が提唱しました。

携帯電話やパソコン、液晶テレビのような小規模分散技術は、普及するにつれて工夫や技術的な改良が積み重ねられ、それにともなって性能が向上し、コストも安くなっていきます。これが「ムーアの法則」、あるいは「技術学習効果」と呼ばれるものです。その結果、その商品はさらに普及し、改良が進み、性能が良くなる……という好循環が生まれ、指数関数的に成長していく。それと同じことが、再生可能エネルギーでも生じているのです。

太陽光と風力は技術的な改良が重ねられることで、年を追うごとにコストが下がっています。太陽光はこの10年で89%のコスト減少、風力も同じ期間に70%の減少となっています。

特に太陽光の加速度的なコスト低下には目を見張るものがあります。

たとえばインドでは、4年間でコストが4分の1になり、石炭火力発電よりも安くなりました。2017年現在で約4・2円／kW時まで下がったのです（「円／kW時」というのは、

図1－2　技術学習効果による継続的なコスト低下

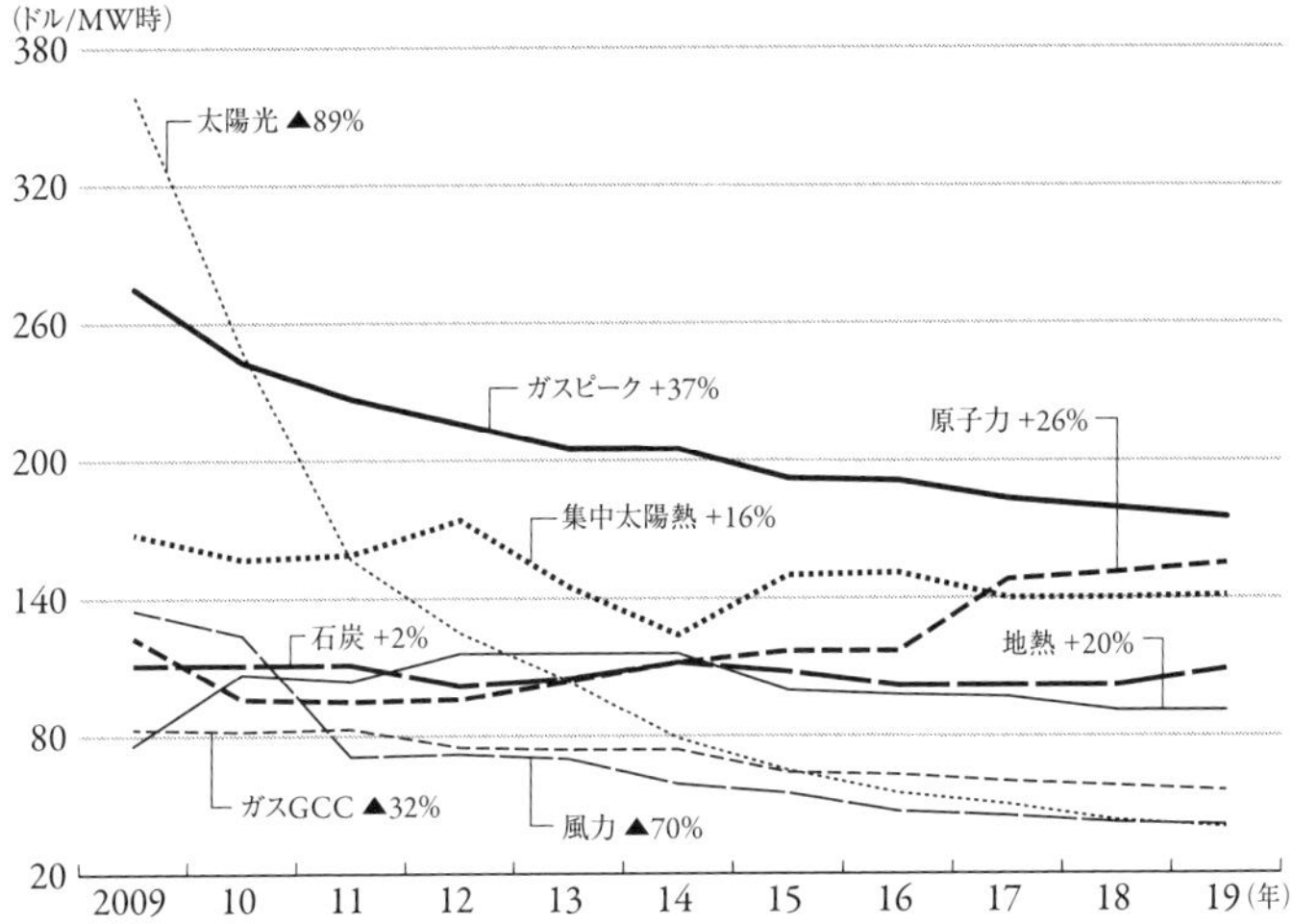

出所：Lizard' s Levelized Cost of Energy Analysis —— Version 13.0, 2019.11をもとに作成.

1kW＝1000Wの電力を1時間発電する場合に要するコストのことです)。さらにメキシコでは約3・9円／kW時、チリでは約3・2円／kW時、ドバイでは約2・7円／kW時、サウジアラビアに至っては約1・97円／kW時となっています。

図1―2を見てください。他のエネルギーと比べて、今や太陽光と風力がもっとも安いエネルギー源になっていることがわかります。それに対して原子力は年々、コストが上がっています。福島第一原発事故以降、地震や津波対策のほか、テロ対策、放射性物質の拡散を抑制するための対策など、新たな規制が課せられたため、運転・建設コストがとめどなく

高騰しているのです。

「柔軟性」と蓄電池の登場

これまで日本政府は、石炭火力発電と原子力発電を、重要なベースロード電源と位置づけてきました。ベースロード電源というのは、気候や時間帯を問わず、年間を通じて安定的に電力を供給できる電源のことです。

福島第一原発事故後、2012年末に成立した安倍晋三自公政権のもとで、政府は2014年の「エネルギー基本計画」で原子力発電を「重要なベースロード電源」と位置づけています。2018年に改定した計画でも、そのままです。福島原発事故を受けて、2022年までにすべての原発を停止することを決定したドイツとは、大きな違いです。ですから日本は、今なお「ベースロード神話」から抜け出せていないと言っても過言ではありません。こうしたなかで、太陽光は「お天道まかせ」、風力は「風まかせ」と揶揄され、「電力を安定的に供給できるのか疑問がある」と批判されてきました。

たしかに太陽光や風力は、日照時間や風向きによって発電量が変わる「自然変動型電源」(VRE)です。しかし、そのこと自体は大きな問題ではありません。というのも、時間帯によって必要な電力量は変化するわけですが、このような電力需要の変化と、日照時間などにより変化する発電量のギャップを埋めることができさえすればいいからです。つまり、「フレキシビリティー」（柔軟性）が実現できれば、十分に対応できるのです。

そして、この柔軟性を成り立たせる「道具」が、現にあるわけです。

①**気象予測**…気候がどう変化していくか、1時間先、6時間先、24時間先など複数の時間幅ごとに予測し、それに応じて発電量を調整していく。

②**大規模電源の調整**…石炭火力発電のように発電量の大きい電源は、短時間で運転を止めたり再開したりできないため、気象予測にもとづいて、運転の仕方を事前に調整しておく。

③**需給調整電源の活用**…太陽光や風力の発電量が予測と外れて需要と供給との差が大きくなった時には、発電量を素早く変えることができる天然ガスや水力発電、揚水発電[5]など、短い時間で対応が可能な電源を活用する。

④**電力の移出入**…それぞれの地方で発電した電気を、必要に応じて融通し合う。たとえば、九州地方で発電した電気を中国地方へ送電することも、中国地方で発電した電気を隣接する

5——水力発電の一つで、発電所の上側と下側に貯水池を設け、下の池から上の池へ余剰電力を用いて水を汲み上げておき、必要な時に放水して水車を回して発電するというもの。

九州地方や関西地方へ送電することもできる。

⑤**需要を動かす**…電力需要が高まった時に、それに見合うだけの供給が見込めない場合、需要を減らす。逆に、電力供給に対して需要が不足していれば需要をつくる。たとえば、電力需要の増加に対して供給が間に合わない場合、一時的に電気料金を引き上げたり、電力会社が節電を要請し、使用者の節電量に応じて報酬が得られるようにしたりして、電力需要を抑える。逆に、電力の供給に対して需要が不足している場合は、ヒートポンプ給湯器[6]を動かしたり自家発電を止める、公共施設などに設置した蓄電池を充放電するなどして需要を増やす（こうしたやり方は、「デマンドレスポンス」と言われています）。

⑥**市場（マーケット）を使う**…太陽光、風力、原子力、石炭火力、天然ガスといった順で、売電価格の安い順に電力が供給される市場の仕組みを構築する。すでにドイツなど欧州で実現しており、日本でも既存の卸電力取引所を改良すれば実現できる。これによって、需要に対して供給が大きくなれば、市場価格が下がるため自動的に供給量が減り、逆に供給が少ない場合は市場価格が上がるため、供給量が増えることで需給がバランスする。

近年、主に電気自動車（ＥＶ）の急速な普及・拡大に伴って、発電した電気を蓄えておける蓄電池のコストもこの10年でコストが4分の1に下がり、市場も急速に拡大しています。

この蓄電池のコスト低下と市場の拡大によって、後述する南オーストラリア州のような、電力市場の中で初めて投資回収可能な大規模な蓄電池の利用例が生まれたほか、近い将来、太陽光＋蓄電池が石炭火力のコストを下回る見通しも出始めました。

こうして、太陽光発電と風力発電、そして蓄電池の急速なコスト低下と普及が、従来の化石燃料や原子力発電からなるエネルギー市場に、まるで隕石が衝突するかのような勢いで大転換を引き起こそうとしているのをよく表しているのが、図1―3（次ページ）です。

エネルギー分野で「天動説」から「地動説」の大転換が起こりつつあることが実感できる図です。

世界最大バッテリーを作った南オーストラリア州

再生可能エネルギー100％に向けた一里塚として世界各国が競う「電力供給に占める自然変動電源（ＶＲＥ）比率の高さ」で、デンマークとトップを競うのが、オーストラリアの南オーストラリア州です。２０００年代半ばにはＶＲＥ比率がほぼゼロだったにもかかわら

6――ヒートポンプ給湯器は、多くの家庭にあるエコキュートなどのことで、貯湯タンクに余裕があれば動かして需要を増やすことができる。

図1―3　急激に進む太陽光、風力、蓄電池のコスト低下

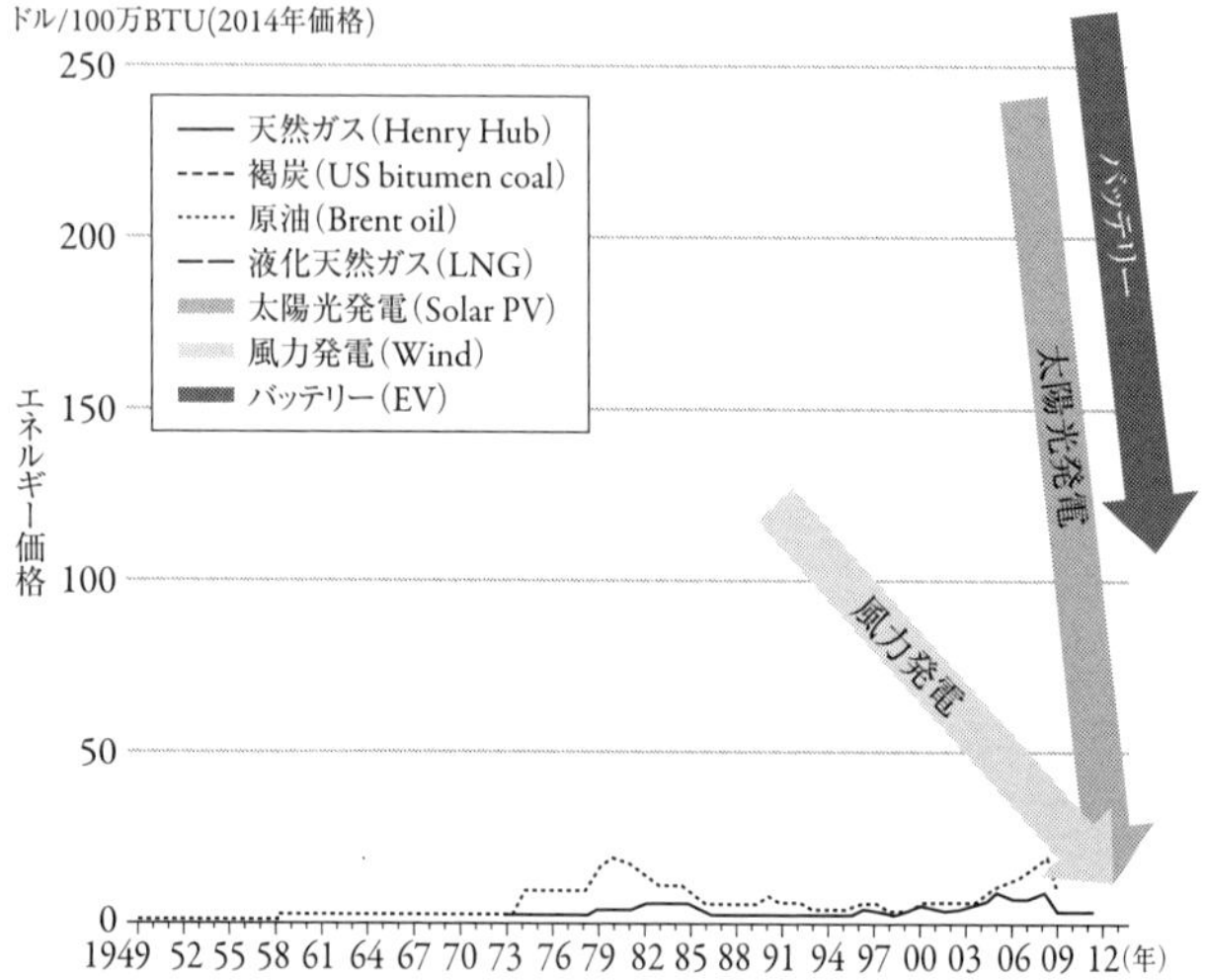

注：BTUは英国熱量単位＝0.293kW時
出所：Michael W.Parker et.al., "Bernstein Energy & Power Blast：Equal and Opposite… If Solar Wins, Who Loses ?", *Bernstein Research*. April 4, 2014（http://reneweconomy.com.au/wp-content/uploads/2014/04/Bernstein-solar.pdf）をもとにISEP作成.

ず、2019年にはわずか15年ほどでVRE比率は52％と5割を超えて、世界トップに立ちました（図1―4）。同州のVREは、風力と太陽光がほぼ半分ずつで、年平均5割を超えるということは、ときには需要の倍以上の発電があり、別のときには発電量がゼロに近いときもありうることを意味します。隣の2つの州と送電線で連系しているとはいえ、地域単位でこれだけのVRE比率は驚異的です。ちなみに日本のVRE比率はまだ10％に届きません。

その南オーストラリア州で、蓄電池を活用したパイオニア的な取

図1－4　自然変動型電源の比率

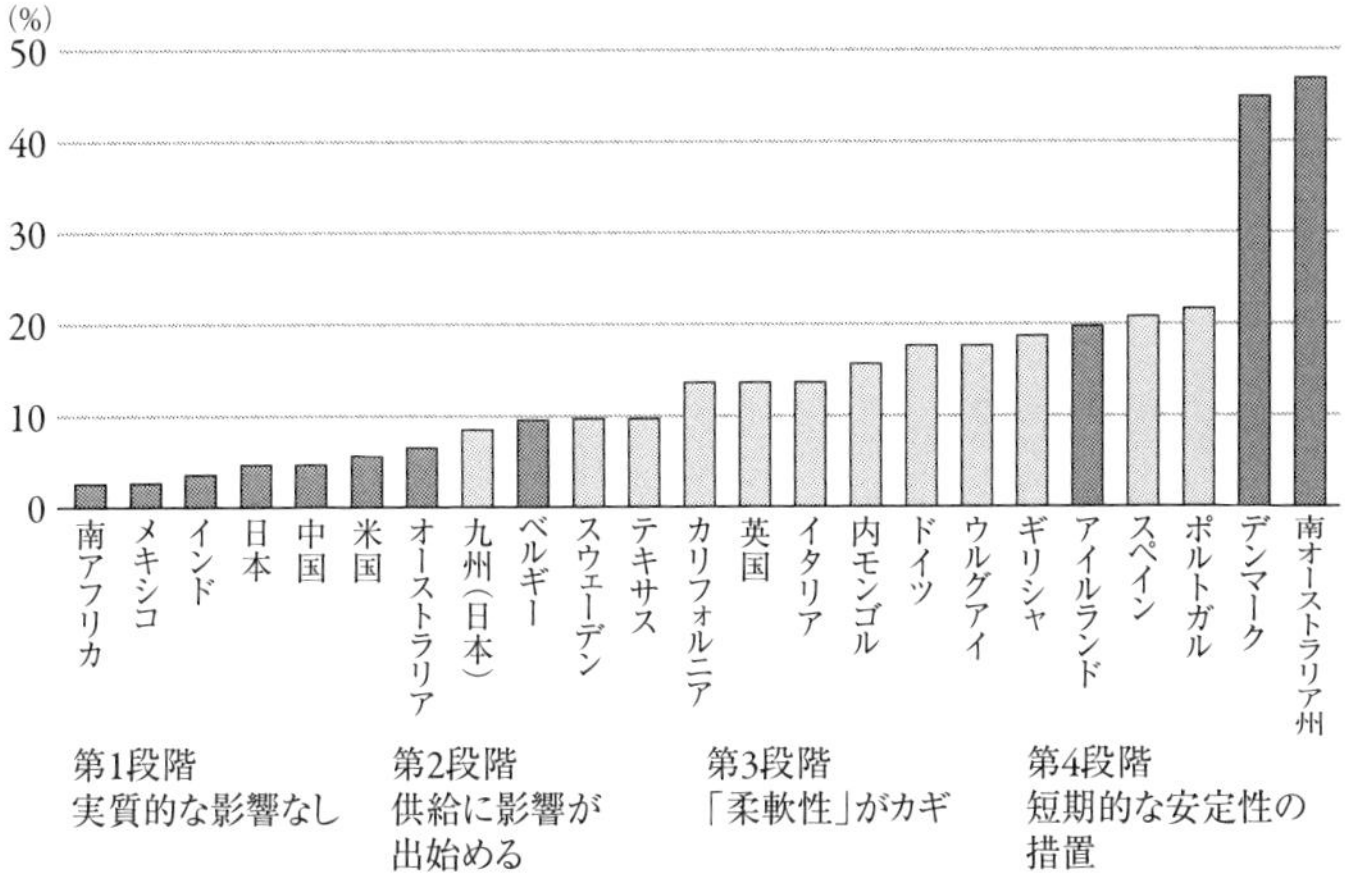

注：グラフの数値は、自然変動電源（太陽光＋風力）の比率.
出所：IEA/REN21/IRENA, "Renewable Energy Policies in a Time of Transition", 2018.1をもとにISEP作成.

り組みが始まっています。

電気自動車メーカーのテスラが２０１７年12月に完成させた「ザ・ビッグバッテリー」（正式名称は地名を取って「ホーンズデール　パワーリザーブ」）の蓄電の入出力は１００ＭＷ、容量は１２９ＭＷ時で、完成時点では世界最大規模でした。

蓄電容量１２９ＭＷ時と言われても、ピンとこないかもしれません。１０００ｋＷ時が１ＭＷ時です。日産の電気自動車の最新型リーフｅ＋が６２ｋＷ時ですから、ザ・ビッグバッテリーの蓄電容量は、リーフｅ＋の２０００台分にもなるわけです。入出力容量のうち七割に当たる70ＭＷは、州政

テスラがオーストラリアに建設したリチウムイオンバッテリー〔2017年12月1日〕
写真：ロイター／アフロ

府との契約により停電などの緊急時に用いられることになっています。そして残りの30MWは、所有者であるネオン社が自らの収益を得るために活用できます。

南オーストラリア州では2016年9月、暴風雨のために送電線20基ほどがなぎ倒され、全域でブラックアウト（広域停電）が生じてしまいました。こうした事態を受けて州政府は、二度と同じようなことが起こらないよう約400億円をかけて打ち出した停電対策のひとつが、テスラのザ・ビッグバッテリーだったのです。テスラ社のイーロン・マスクCEOは「半年以内に完成しなければ、無償提供する」と明言し、その言葉どおり、2017年12月に完成させました。

電気を安定して供給するには、周波数を一

定の幅に保たなくてはなりません。暴風雨や直下型地震などにより送電線や大型の発電所がダメージを受けて電力の需要と供給のバランスが崩れて、周波数が乱れてしまうと、最悪の場合、ブラックアウトに至ります。2016年の南オーストラリア州や2018年9月に北海道で起きた全域ブラックアウトは、まさにこういうことでした。

南オーストラリア州を含むオーストラリアでは、全国をカバーする周波数調整市場という電力市場があります。水力発電があまりないオーストラリアでは、ザ・ビッグバッテリーが稼働するまで、この周波数調整市場での主役は、発電出力を比較的早く変動させることができるガス火力発電でした。しかし周波数調整の遅れが出た場合には、市場価格が高騰する「スパイク」という現象が時折生じていました。

ところが、ザ・ビッグバッテリーを導入した後は、ガス火力発電に代わって、瞬時に周波数変動に対応するザ・ビッグバッテリーが周波数調整の主役となりました。これによって、ガス火力発電による周波数調整のときに生じていたスパイクがほとんど起こらなくなり、これによる周波数調整市場でのコスト節約効果は1年で約30億円と推計されています。総投資額が約75億円でしたから、2年半で初期投資を回収できる計算になります。

ザ・ビッグバッテリーは、停電を防止する上でも力を発揮しました。2018年8月、南オーストラリア州の東隣にあるニューサウスウェルズ州では電気の周波数が大きく変動し、その影響で全域ブラックアウトが発生しかねない事態となりました。そこでザ・ビッグバッテリーが即座に対応し、ブラックアウトを未然に防いだのです。この成功を機に、オーストラリア全土で大型バッテリーの導入が進められています。

南オーストラリア州では今、分散型の蓄電池による仮想発電所（ＶＰＰ＝Virtual Power Plant）の構築に取り組んでいます。これは各家庭の屋根に太陽光パネルを設置し、蓄電池を備えつけ、インターネットでつなぐことで、一つの発電所のようにする試みです。そうすることで、電力の安定供給が見込めます。

テスラ社による１１００戸のソーラーと蓄電池（各５ｋＷ）の実証導入を２０１９年中に終えた後、今後は、テスラ社を含む５万戸の蓄電池（約５ｋＷ）が２０２０年中に整備され、州の電力需要の約20%規模の分散型蓄電池による仮想発電所（ＶＰＰ）が実現する見込みです。

２０１８年の北海道胆振東部地震の際に、北海道全域でブラックアウトが起きたことは記憶に新しいと思います。震源地の近くにある苫東厚真《とまとうあつま》火力発電所が被災し、北海道電力の総発電量の半分以上を供給していた石炭火力発電３基（合計出力１６５万ｋＷ）が停止し、発電できなくなりました。これによって、道内の他の発電所も順次、停止していきました。日本ではこれまで経験したことのない大規模な停電に見舞われたのです。

このブラックアウトの本質的かつ構造的な原因は、大型発電所3基が同じ場所に集中していたことにあります。つまり、大規模集中型かつ上流から下流への一方通行だけの電源ネットワークは、事故や災害に対して非常に脆弱なのです。もしそれが、もう少し小さな単位——県や支庁、あるいは市町村で、しかも双方向の電力の流れを前提とした需給調整ができるネットワークであったならば、全道ブラックアウトという事態は免れていたはずです。

南オーストラリア州では、ザ・ビッグバッテリーと、分散型蓄電池による仮想発電所によって、さらに再生可能エネルギーの比率を高めていく計画で、2021年に73%、そして2025年には100%を目指しています。それに対して日本では、この図からも分かるように、ようやく第2段階に入ったところです。だからといって悲観することはありません。日本でも確実に自然変動型電源への転換が進んでいるのです（これについては後述します）。

新しいエネルギー地政学

再生可能エネルギーの急速な拡大によるエネルギー変革によって、従来とはまったく異なる「新しい世界」が到来します。

IRENA（国際再生可能エネルギー機関）は2019年に次のような報告を発表しました。

「風力と太陽光は、過去10年間以上、前例のない速度で成長し、一貫して予期を超えている。

これは、ある燃料から別の燃料への単なる移行ではない。エネルギー部門を超えて、はるかに大きな社会的、経済的および政治的影響をもたらすであろう。100年以上にわたって支配的であった従来のエネルギー地政学の『世界地図』とは根本的に異なる、新しい地政学的現実をもたらすだろう」（「A New World : The Geopolitics of the Energy Transformation（新しい世界：エネルギー転換の地政学）」）

再生可能エネルギーが、これまでのエネルギー地政学を変える理由として、この報告では次の4点を指摘しています。

① 化石燃料の場合、資源が特定の場所に集中しているのに対して、再生可能エネルギーの場合、ほとんどの国で何らかの形で利用可能であること。

② 化石燃料はストック（枯渇性資源）であるのに対して、太陽エネルギーは無限かつ無尽蔵の資源フローであること。

③ 再生可能エネルギーは、各家庭で設置できるような小規模なものから大規模なものまで、あらゆる規模で展開することができ、分散型のエネルギー生産と消費に向いていること。このため、再生可能エネルギーの民主化効果が高まる。（ここで飯田の私見を加えれば、これまで石油産業や旧来の電力会社は、エネルギーの生産と流通を独占する巨大企業も

しくは国営企業であった。これは、少数の技術エリートだけで物事を進める秘密主義に必然的に直結し、国や地方政治に直接・間接に大きな影響力を及ぼしてきた。そうした事例は、日本の原発立地をめぐる関西電力と高浜町元助役との贈収賄に限らず、枚挙にいとまがない。生産と所有を本来的に独占できない再生可能エネルギーが中心になるにつれて、こうしたエネルギーをめぐる独占体制や秘密主義から、より民主的な政策や意思決定、所有関係へと移行することが期待される)。

④ 再生可能エネルギー資源の大半は限界費用[7]がゼロであり、とくに太陽光発電や風力発電の場合、普及が進むにつれて、技術学習効果によるコスト低下がいっそう進む。これによって、ますます普及・拡大が促進される。ただし、電力の安定供給を維持しながら、同時に電力市場に参加する関係者すべてに適正な収益性が期待できるためには、公正で透明性のある規制ルールをつくるという解決策が必要となる。

こうしたことから、人口構成、格差と不平等、都市化、科学技術、環境の持続可能性、軍

7――限界費用とは、モノやサービスなどを、さらに1単位分多く生産する際に生じる追加的なコストのこと。バイオマスの場合、原料となる木材の確保・購入や、家畜の排泄物をガス化する際などに費用が生じるが、太陽光発電、風力発電の場合、こうしたコストは生じないため、限界費用はゼロとなる。

事力、そして大国の政治動向といった要素と並んで、再生可能エネルギーへのエネルギー大転換は、21世紀の地政学を再構築する上で大きな要素になると指摘しています。

では具体的には、どのようなパワーシフトが起きるのでしょうか。

これまでは、石炭や石油、天然ガスといった化石燃料を豊富に持つ国が、世界で影響力を発揮してきました。ところが今後は、再生可能エネルギーの技術を持っている国が非常に重要になってきます。

今後、最も大きな利益を得ると思われるのは中国です。すでに中国は、風力発電機の製造では世界シェアの半分を占めています。太陽光発電の分野でも、太陽光発電パネルでは世界のトップ企業10社のうち8社が中国の企業で、圧倒的なシェアを占めています。太陽光発電の直流電気を交流電気に変えるパワーコンディショナーでも中国企業が圧倒的なシェアを占めています。どちらもシェアが高いだけでなく、技術的にも世界で最も進んでいます。しかも中国は、自国への太陽光と風力の導入量でも、世界一の圧倒的な規模を誇り、毎年の導入量でもいずれも世界トップとなっています。おそらく今後も中国は、再生可能エネルギーの分野において中心的な存在であり続けるのではないでしょうか。

ヨーロッパ諸国と日本は、化石燃料の輸入に大きく依存していますが、再生可能エネルギーの技術も持っていますから、本来であれば、中国と同様に有利な位置にいます。実際に欧州連合（ＥＵ）は、各国ごとに再生可能エネルギー導入比率の目標を掲げて競わせ、また、欧州全域で普及の障害を取り除くための政策を講じたり市場の調整を行ったりしています。導入量でいっても、ドイツやデンマークなどを筆頭に、世界で最も再生可能エネルギーの普及に力を入れている地域といえるでしょう。

ところが日本は、新しいエネルギー地政学の時代において再生可能エネルギーを普及させればさせるほど有利になるにもかかわらず、政府の基本姿勢は、いまだに原発と化石燃料を中心に据えたままで、非常に消極的です。このままでは、折角の機会を活かせないまま、「負け組」になる恐れもあります。

他方、化石燃料の資源国である中東および北アフリカやロシアは、ＧＤＰの主要な部分を化石燃料の輸出から得ているため、再生可能エネルギーへのエネルギー大転換が進めば、国際社会における影響力は低下し、国内的には経済成長が鈍化し、財政状況が厳しくなる恐れがあります。

再生可能エネルギー１００％の潮流

近年、グローバル企業はこぞって再生可能エネルギーにシフトしています。

２０１４年に、「ＲＥ１００」（Renewable Energy 100%）という国際的な企業連合が発足し

たことがきっかけです。国際環境ＮＧＯ「The Climate Group」が始めたもので、企業が生産活動に用いる電力の１００％を再生可能エネルギーに転換することを目指しています。

ＲＥ１００の認定を受けるには、「企業活動を１００％再生可能エネルギーで行うことを宣言すること」「進捗状況を報告書にまとめて毎年提出すること」などの要件を満たさなくてはなりません。２０２０年2月現在で、アップルやグーグル、フェイスブック、ＩＫＥＡなど２２５社が加盟しています。日本の企業では、リコーや積水ハウス、ソニー、パナソニックなど31社が加盟しています。

エネルギー産業のあり方も、再生可能エネルギーへと転換が進んでいます。

たとえば、スイスのＡＢＢは産業用電機の世界最大手ですが、早くも１９９９年に原子力事業部門と石炭火力発電部門を売却し、発電部門から完全に撤退しています。

世界の重電メーカーの中で、ドイツのシーメンス社とアメリカのＧＥ社は二強と称されることもありますが、前者のシーメンス社は２０１１年に原子力発電事業から撤退し、かつては収益の中心だった火力発電事業も需要が低迷したため、ガス・電力部門を分離・上場させて、連結対象から外しています。

ＧＥ社の場合、日立製作所との提携によって設立されたＧＥ日立ニュークリア・エナジーは維持しているものの、主力は風力や太陽光へと舵を切っています。ドイツの巨大エネルギー会社エーオンとＲＷＥは、生き残りをかけて２０１６年以降、矢継ぎ早に再生可能エネルギーを軸とする新会社の設立やＭ＆Ａによる企業再編を進めています。

こうした大きな流れがあるなかで、日本の重電メーカーを代表する東芝や日立、三菱はどうでしょうか。第2章で詳しく触れることになりますが、いまだに原子力発電事業を推進しようとしています。とても残念なことです。

再生可能エネルギーへの転換は、ヨーロッパの国々や自治体でも進んでいます。コペンハーゲンやバンクーバーなどの国際的な大都市やデンマークなどでも、「自然エネルギー１００％」を目標に掲げる大きなうねりが生まれているのです。先述したように、南オーストラリア州では２０１８年現在で、全電源の50％以上を再生可能エネルギーが占めていますし、デンマークでも50％超、ポルトガルやスペイン、アイルランドなどでも20％前後に達しています（図1―5参照）。

「自然エネルギー１００％」という目標は、もはや夢物語ではなくなってきたのです。こうした動きは、化石燃料市場にも大きな影響を及ぼしています。

２０１７年現在で、天然ガス、石油、石炭からなる化石燃料の市場規模は数百兆円に達していますが、その市場が近い将来、完全に消え去る可能性が高まっているのです。

図１―５のとおり、新設した場合の再生可能エネルギー（太陽光、風力）の発電コストは、

図1－5　数百兆円規模の化石発電市場の崩壊

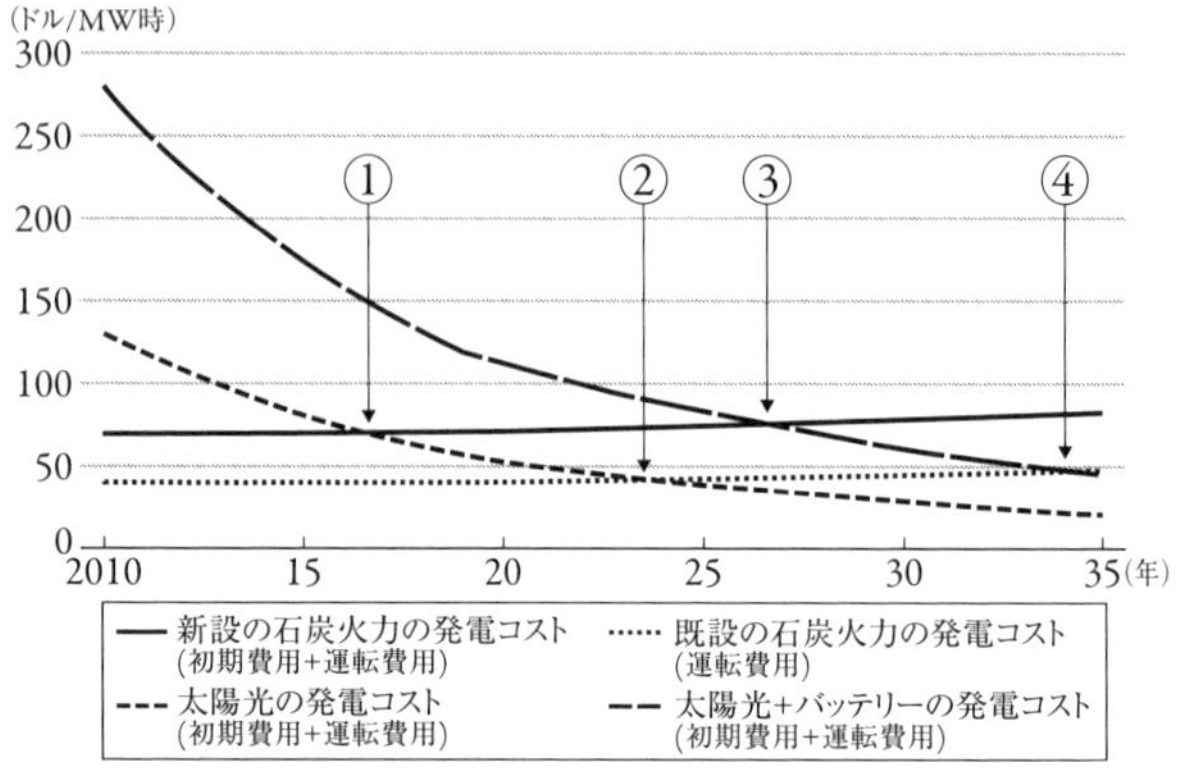

出所：Carbon Tracker , "The Trillion Dollar Energy Windfall", Sept.5th, 2019をもとにISEP作成 .

化石燃料発電（主に石炭）を新設した発電コストよりも、すでに安くなっています（図の①の部分）。それが２０２０年代の前半には、既存の化石燃料発電の運転コスト（主に燃料費）をも下回ると予想されています（図の②）。投資回収を終えた既存の石炭火力発電であっても、新設の太陽光や風力に市場競争で負けるという時代が目の前に来ているわけです。

２０２０年代の後半には、再生可能エネルギーとバッテリー（蓄電池）の新設コストが、化石燃料発電の新設コストよりも安くなり（図の③）、そして30年代になると、投資回収を終えた既存の石炭火力発電など既存の化石燃料発電の燃料費よりも、再生可能エネルギーとバッテリーを新設する方が安くなり、また競争力があると予測しています（図の④）。

ここに至ると、もはや新設はおろか既存のあらゆる種類の化石燃料発電は不要となり、発電市場における化石燃料の需要や化石燃料発電所自体も消滅し、火力発電設備は壮大な不良債権として、企業経営のお荷物になる可能性が高まっています。数百兆円規模の化石燃料発電市場の崩落、すなわち「ギガフォール」が、これから10年ほどの間に起きる可能性があるのです。

3　日本の再生可能エネルギーの現在

固定価格買取制度がもたらした光と影

日本で再生可能エネルギーが普及する上で大きな画期となったのは、２０１２年7月から施行された再生可能エネルギーの固定価格買取制度（ＦＩＴ：Feed-in Tariff）です。

固定価格買取制度とは、再生可能エネルギーによって発電した電気を、国が定めた固定価格で買い取ることを電力会社に義務づけた制度です。発電事業者は10～20年という一定期間にわたって、固定価格で電気を販売することができます。このように長期間にわたって収入が確定することで、発電機材の設置費用などの初期コストの回収が見込めるため、企業や市民が再生可能エネルギー事業に参入しやすくなりました。

この制度を実施に移すために、２０１１年3月11日に閣議決定されたのが、「電気事業者による再生可能エネルギー電気の調達に関する特別措置法」（ＦＩＴ法）でした。

そうです、この日の午後2時46分、三陸沖でマグニチュード９・０の巨大地震が起きたのでした。当時は民主党政権で、閣議決定がなされたのは、この日の午前中のことでした。歴史のｉｆになってしまいますが、もし閣議決定が、東北地方を襲った巨大地震の後の時刻に予定されていたなら閣議決定は行われず、国会で審議されることもなく、固定価格買取制度は実現していなかったかもしれません。「歴史の偶然」を思わずにはいられません。

この制度の起源は、手前味噌で恐縮ですが、じつは私が１９９８年秋に作成した素案にあります。１９９2年にスウェーデンに留学した私は、ヨーロッパ各国で再生可能エネルギーが普及・拡大していくさまを目の当たりにしていました。再生可能エネルギーを普及させるために、ドイツで大成功していた固定価格買取制度（ＦＩＴ法[8]）を日本にも導入したいと、法案の素案を作り、国会議員に働きかけていたのです。

しかし、ことはそう簡単には運びませんでした。エネルギー政策を独占してきた通産省（現・経産省）と電気事業を独占してきた電力会社が、いずれも自らの既得権が脅かされるのを恐れて強く反発し、法案成立まであと一歩のところで頓挫してしまったのです。奇しくもドイツが同じ趣旨の法律を成立させた年である2000年6月のことです。

それから11年後に、様々な紆余曲折を経てようやく実現したFIT法は、日本の閉鎖的な電力事業の歴史の中で画期的な制度となりました。再生可能エネルギー電力の買取価格が法律で保証されているので誰でも再生可能エネルギー発電に参入することができること、そして送電線を独占する電力会社に対して再生可能エネルギーを買い取ることを義務付けたことの2つが、特に重要な要素だと思います。

FIT法によって、再生可能エネルギー、なかでも太陽光発電の導入が一気に進みました(図1―6)。制度施行前の累積導入量はほとんどが住宅用太陽光発電で約560万kWだったのが、施行後はいわゆるメガソーラーなど産業用太陽光発電が一気に拡大して、わずか約1年半(2014年3月)で約870万kWの設備が運転を始め、2019年末までに合計5400万kWの太陽光発電が運転開始しています。

電源別で発電量を見ると、この制度が施行される前の2010年度の場合、再生可能エネ

8――この時点(1998年)で参照したのはドイツで1990年12月に成立した「電力供給法」と呼ばれる法律で、北部の風力の普及には成功したが、太陽光や南部の風力の普及には不十分で、また電力会社に買取費用を負担させる仕組みのため、国は電力会社から訴訟を起こされていた。ドイツで2000年に成立した固定価格買取法は、これらの買取価格と費用負担の問題を解消したもので、日本でも提案されていた法案と同じ仕組みだった。(飯田)

図1－6　3.11後に急増した太陽光発電

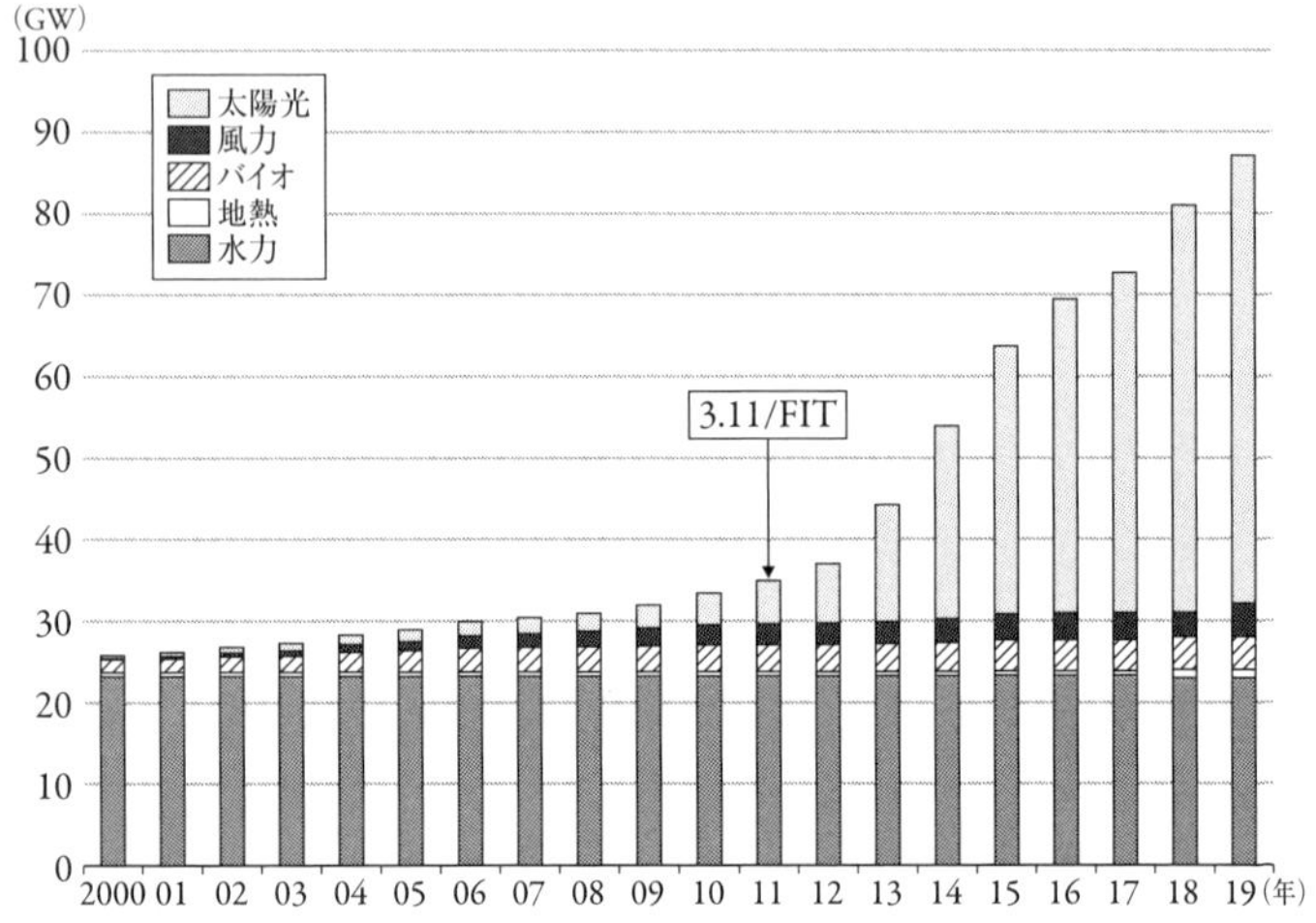

注：GWは累計値．
出所：経産省のデータをもとにISEP作成．

ルギーは全体の10％に過ぎず、しかもその大半は水力発電によるものでした。ところが２０１８年度になると、再生可能エネルギーは全体の18％まで増加したのです。しかも太陽光発電だけで、全体の7％を占めるに至っています。

世界の趨勢から取り残される

他方で、日本のＦＩＴ法には、制度設計の面で、当初からいくつか重大な問題がありました。太陽光発電に関していえば、大きく2つの問題がありました。

1つは立地の制約や配慮がなく、「場所を問わず、どこでも太陽光発電事業ができる」点です。太陽光発電事業が、どこでも、そして誰でもできることは、地域に根ざした地産地消の再生可能エネルギー事業を広げる上で良い点でもあるのですが、半面で一部の太陽光発電事業（メガソーラー事業）が全国各地の森林などで乱開発されたというデメリットももたらしました。

これは、メガソーラー事業や他の再生可能エネルギー事業に限った問題ではありません。むしろ日本の政治・行政では、土地利用や森林開発に際して「開発」ばかりに重点が置かれ、環境保全や地域コミュニティの参加、合意形成がおざなりにされてきました。そのため、これまでも全国各地の野山や山林が、ゴルフ場やリゾート地のために開発されてきました。

ＦＩＴ法の制度設計では、そういう実態を視野に入れていませんでした。それだけでなく、ＦＩＴ法の最初の施行ルールでは、地主の同意さえ不要という粗雑・拙速なものだったために、とくに太陽光発電で問題が多発することとなりました。

というのも、太陽光発電事業は、開発に関して専門性や難易度の高い他の再生可能エネルギー発電事業と異なり、専門性がそれほど高くない事業者でも、比較的短期間で事業化することができます。事業モデルとしては、アパート賃貸などの不動産開発の手法とよく似ています。ただし、アパート賃貸は空室が出ると家賃収入が減りますが、太陽光発電は故障しないかぎり売電収入が確実に毎月入ってきますから、いわば、「空室の出ない賃貸アパート」のようなものです。

数年後に送電線の空き容量の問題が顕在化するのですが、最初の段階ではＦＩＴ法に明記された「再エネ発電を送電線に優先的に接続する」という条項が金科玉条となったため、事実上、土地さえ確保すれば収益性の高い太陽光発電事業ができるという状況でした。必然的に、ＦＩＴ法が施行された２０１２年７月からほどなくして、全国各地で太陽光発電用の土地を求めて「不動産屋、千里を走る」という状況が始まりました。「太陽光バブル」の始まりです。

不動産ディベロッパーが一斉に動いたために、開発の途中で頓挫していた土地や、自然豊かな美しい森林などさまざまな空き土地が、太陽光発電所用地として国に登録され、最初の2年半だけでおよそ8千万ｋＷもの太陽光発電事業が計画認定されたのです。

２つ目の問題は、再生可能エネルギー電力の買取価格を、最初の計画認定の段階で決めてしまうという制度にしたことです。この仕組みは、これまでに世界１００カ国以上で導入されているＦＩＴ法の中で、日本だけの例外的な規定なのです。

なぜ最初の計画段階で価格を決定すると問題なのでしょうか。それは、この10年でコストが9割も下落した太陽光発電や同じく7割も下落した風力発電が持つ、技術学習効果を考慮に入れていないことを意味します。そのため日本では、権利だけを取って、値下がりを待つという問題が起きました。たとえば２０１２年に申請を出して「40円／ｋＷ時」で買い取ってもらう権利を得たとしても、その年のうちに発電設備を建設しなくてもいいのです。2020年に着工しても問題になりません。[9]

先述したように、太陽光発電の建設コストは、技術学習効果により年々下がっていきます。とすると、いま例示したケースでは、2012年に買取価格が決められているわけですから、2020年から稼働させた場合、法外な利益を得ることができます。しかも、その費用を負担するのは、電力会社に電気料金を支払っている国民です。

さらに、初期の高い買取価格で国の認定を得た太陽光発電事業は、買取価格が高く設定されている分、開発資金に余裕があるため、少々無理な土地や山林でも強引に開発を推し進めることができます。さらに収益性が高いことから、ブローカーも介在する「事業権利の売買」が公然と行われ、それらが次々に転売されるケースも多く見られます。

こうした第1の問題と第2の問題が組み合わさった結果、とりわけ巨大なメガソーラー事業については、資金力のある外資系企業や投資ファンドなどが利益を得ようと参入し、地域の美しい野山を切り崩してメガソーラーを建設するということも起きてしまいました。地元

9――2018年12月に法改正があり、初期に認定を受けた太陽光発電事業に運転開始期限が設けられたために、無制限の延長はなくなったが、2012年に認定を受けた事業が2020年でも建設可能なものが実際にあります。（飯田）

の住民からすれば、「太陽光発電が自然破壊を引き起こした」ということになります。「再生可能エネルギーは儲かる」と、インセンティブを刺激する仕組みになっていたのはよかったのですが、深刻な環境破壊にならないような仕掛けが欠けていただけでなく、むしろ無理な開発を推し進めることができる仕組みになっていました。

その結果、脱原発・脱温暖化の切り札として期待される太陽光発電は、本来なら「ポジティブ・ワード」のはずが、今や一部では「ネガティブ・ワード」として受け止められることになってしまいました。

このような制度設計になってしまった背景には、霞が関の官僚制度や政策形成の問題があります。

日本がＦＩＴ法をスタートさせたのは２０１２年ですが、世界的に見るとこれは非常に遅れています。世界に先駆けてドイツが２０００年にいち早く実施し、中国は２００４年に導入するなど、日本が始める前にすでに百数十カ国で実施されていました。それら諸外国の様々な先行例では、成功や失敗、トラブルなど数多くの知見や経験が積み重ねられていましたから、それを踏まえつつ、海外の専門家をアドバイザーとして招いて制度を作り上げることもできたはずです。しかし、実際に霞が関が行ったＦＩＴ法の制度設計では、先行事例から学ぶということはありませんでした。

これには、日本の官僚システムのあり方が影を落としています。

日本の官僚は、個々人は優秀だとしても、ほぼ2~3年ごとに部署を異動する人事慣習があるため、新しく着任した分野で、海外における政策体系やそのベースにある知識体系に精通することは不可能です。例えて言えば、難しい脳外科手術をインターン医師が執刀するようなものです。しかも、日本の行政における政策や制度設計のプロセスは、とても閉鎖的かつ独占的です。審議会の委員も、役所や業界の都合で選ばれることがほとんどです。その審議会にしても形ばかりのもので、政策・制度の実質的な部分は、事務局を担う役所がすべて決定します。日本の環境エネルギー政策が「2周遅れ」「ガラパゴス」「聞く耳を持たない」などと批判される一因は、こうした政策・制度のプロセスにあるのです。


新型コロナウィルスでも、日本の官僚システムの機能不全が露呈しました。

いつまでたってもPCR検査が増えず、それどころか検査抑制さえ行われました。「アベノマスク」というとんでもない愚策がまかりとおり、定額給付金も迅速に支給できませんでした。福島第一原発事故のときは、日本だけが直面した危機でしたから、日本の政治・行政や、東京電力の事故対応の無策・無能ぶりが見えにくかったのですが、世界的な問題となっている今回の新型コロナウィルスへの対応では、和歌山県や鳥取県、岩手県など一部の自治体を除けば、日本の政治・行政のダメさ加減が際立ちました。

三、四十年前なら、こうした日本の官僚システムでも通用したのかもしれませんが、科学技術がますます高度化し、社会の複雑性が増す現代社会にあっては、深い専門性や経験豊かな専門家がオープンに協力する政策知を形成するプラットホームがなければ、到底、太刀打ちできません。科学的な知見をベースにしながら、適切な制度設計をするには、膨大な知識と経験とオープンな協力ネットワークが不可欠です。

ヨーロッパの官僚の多くが博士号を持つ専門家である上に、1つの専門分野を10年から20年は担当します。専門性を持った上で、時間をかけて広範な知識と経験を身につけていくのです。しかも、NGOや研究機関、大学の先生、企業などと対等な立場で自由に意見を言い合い、そこから良いものを拾い上げ、政策を組み上げていきます。つまり、かれらはコーディネーターのような役割を果たしているのです。

日本の場合、再生可能エネルギーの分野で出遅れたのは、官僚だけではありません。産業界も、同じようなものでした。1980年代には、カリフォルニアに輸出された三菱重工業の風力発電は世界最先端でしたが、今や日本に風力発電企業は事実上、存在しません。また、2000年代半ばまでの日本の太陽光発電メーカは、シャープを筆頭に世界をリードしていましたが、今や見る影もありません。

RE100に初めて加盟した日本の企業はリコーで、2017年4月のことでした。

ＲＥ１００が発足してから丸３年が経っており、パリ協定から１年半後のことです。漏れ聞いた話では、経産省や経団連からＲＥ１００に対する「禁足令」「箝口令」が出されていたのだそうです。何とも愚かで、いかに世界の潮流が見えていないかを示すエピソードです。そんな中にあってリコーが、経団連に加盟しているにもかかわらず、「禁足令」を破ってＲＥ１００に抜け駆けで参加するという「アリの一穴」を開けたとたん、今度は逆に「バスに乗り遅れるな」とばかりに、本来なら本家ＲＥ１００が対象としていない中小企業まで含めて我先にＲＥ１００に加盟し始めたというドタバタ劇です。

世界の主要国の中でもっともエネルギー自給率が低く、しかも福島第一原発事故という未曾有の危機を経験した日本にとって、再生可能エネルギーには他のどの国よりも恩恵があるはずです。にもかかわらず、世界各国で進む再生可能エネルギーへの加速度的かつ構造的な変化に目をつむり、背を向けて、日本は立ちすくんでいるように見えます。

4　自然エネルギー先進国・デンマーク

欧米で沸き起こるコロナ後のグリーン・リカバリー

新型コロナウィルス感染症への感染者は世界全体で2100万人を超え（8月14日現在）、今なお広がり続けています。日本では4月7日の緊急事態宣言発令後、1カ月半の自粛期間を経て5月25日に解除されました。ところがその後、東京を中心に感染者が再びじわりと増えつつあり、予断を許しません。

新型コロナのパンデミック対応のために、世界各国ではロックダウン（都市封鎖）や外出禁止・移動制限・国境封鎖を実施したことで、外食産業や観光業、運輸交通業などはその直撃を受け、失業者の増大や消費の落ち込みが顕在化し、産業・金融を含む経済全般にリーマン・ショック以上の停滞や冷え込みが予見されています。

こうした経済危機からの復興に加え、かねてより世界全体での対応が求められている気候危機、そして新型コロナが浮き彫りにした貧富や人種、ジェンダー間の社会的格差を是正してゆくための「緑の復興」（グリーン・リカバリー）を求める声が、欧州をはじめ世界各地で高まりをみせています。その施策の中心として期待されているのが、本書の主題である再生可能エネルギーなのです。

世界気象機関（ＷＭＯ）は、ここ5年間の世界の平均気温について、温室効果ガスの影響により観測史上もっとも高く、２０１９年は史上2番目の高さだと報告しました。日本でも近年、大型台風や豪雨の被害が続いていることから、気候変動の影響を実感している方も少なくないのではないでしょうか。

グレタ・トゥーンベリさんが気候変動対策を促すために、「気候のための学校ストライキ」と書かれたプラカードを掲げて、スウェーデンの国会議事堂前で座り込みを始めたのは15歳のとき、２０１８年のことです。彼女の問題提起は、あっという間に世界中の人々の関心と共感を引き起こしました。

気候変動によって生じる深刻な環境破壊などへの危機感を背

「グローバル気候マーチ」期間中に米ニューヨーク州でスピーチをするスウェーデンの環境活動家グレタ・トゥンベリさん〔2019年9月20日〕
写真：REX/アフロ

景に、近年、欧米諸国の間では「グリーン・ニューディール」と呼ばれる政策に対する関心が高まっています。ひと言でいってしまえばそれは、再生可能エネルギーや環境分野に公共投資をし、新たな雇用を創出すると同時に経済の活性化を図り、持続可能な社会を作っていくというものです。

イギリスの民間シンクタンクである新経済団体（New Economics Foundation）が2008年に刊行した報告書『グリーン・ニューディール』には、世界金融危機、気候変動、エネルギー危機に対する政策提言として、再生可能エネルギーのための大規模投資、新たなグリーン雇用の創出といったことが書かれています。この報告書のタイトルは、お分かりのように、世界恐慌の時にフランクリン・ルーズベルト米大統領が打ち出した経済復興政策「ニューディール」から来ています。

この報告書が刊行された翌2009年1月、オバマ米大統領は、再生可能エネルギー等に10年間で1500億ドル（約15兆円）の投資をし、500万人の雇用を創出すると表明し、広く注目を集めました。こうした流れが途絶えることはなく、「AOC」の略称でも知られる連邦下院議員、アレクサンドリア・オカシオ゠コルテス（民主党）は、エド・マーキー連邦上院議員とともに2018年11月に「グリーン・ニューディール」を起草。翌19年2月には「10年以内に炭素排出をゼロ、100%再生可能エネルギーに移行」することを目指す下院決議案を公表しています（残念ながら、この決議案は上院で否決されてしまったのですが……）。

一方、ヨーロッパでは2019年12月に、欧州連合（EU）の執行機関である欧州委員会が、温暖化ガスの排出を2050年までに実質ゼロとすることを目指す気候変動対策「欧州グリーンディール」を発表しています。

同じ年にデンマークでは「新気候変動適応法」が成立しています。これは、2030年までにCO_2の排出量を1990年比で70％削減し、50年までに温室効果ガスの排出量を実質ゼロにすることを目指すものです。デンマークではすでに全電源の約50％が風力発電でまかなわれています。一体どのようにしてデンマークは、「環境先進国」と言われるまでになったのでしょうか。以下でそのプロセスを追ってみたいと思います。

「エネルギー・デモクラシー」の哲学

デンマークのエネルギー政策が転換する大きなきっかけとなったのは、1973年の石油危機でした。

それまでデンマークは、他の欧米先進国と同様に中東から石油を輸入していました。しかも、経済成長とともにエネルギー消費量が伸び、それに伴って石油輸入量が増大するという、資源の制約も環境の制約も無視して、まるで石油が無限にあるかのように、ただひたすら経済成長を追い求めていました。1970年の段階で、全エネルギーの供給量に占める輸入原油の割合は88％に達していました。これだけ依存度が高かったので、石油危機によってデンマークは大きな打撃を受けました。そのため、輸入原油依存から抜け出し、エネルギーの安定供給を図ることが目指されたのです。

当初、デンマーク政府と電力会社は、石油火力発電に代えて、原子力発電を導入しようと考えていました。それに対して環境NGO「原子力発電情報組織（OOA）」は、「エネルギー政策を市民が決める権利」を前面に掲げて、政策決定の前により多くの情報が市民に与えられ、議会で論議が尽くされるべきだと主張しました。そして、3年間の猶予期間（モラトリアム）を設けることを政府に要求し、これが認められたのです。

1974年春、政府は「エネルギー情報委員会（EOU）」を設置し、商務省の下で原発推進キャンペーンを展開しようとしました。当時、デンマーク国民の間では、原発導入に対して賛否が大きく割れていました。こうした中でEOUは、国民的な議論をする場を作ろうと計画を立てました。政府が設置した委員会であっても、独立性が守られているため、政府の意向に距離を置いて、こうしたプランを実行に移すことができたのです。

EOUはまず、エネルギー問題を国民が学べるようにブックレットを作りました。原発推進派と反対派、それぞれを代表する研究者に執筆してもらいました。両者の共通点は見開きページに掲載し、両者の相違点はページの左右に振り分けて示すなど、公平な見せ方になるよう工夫しました。メディアにも働きかけ、賛成派と反対派が対等な立場で意見を述べ合う場を設けました。さらに、地域で活動する市民学習グループを支援し、議論の活性化を図りました。

こうした中で政府は1976年に、原油の輸入を削減し、15基の原子力発電所を建設する計画を発表します。電力会社による原発建設計画を後押しするものでした。

原子力発電情報組織（OOA）は、政府のこの計画に対抗するために、「原発のないエネルギーシナリオをつくろう」という一大キャンペーンを展開し、多くの国民から支持を得ます。さらに、物理学の権威でデンマーク工科大学のニールス・マイヤー博士やヨアン・ノルゴー博士をはじめとする科学者たちに協力を仰ぎ、「代替エネルギーシナリオ」を提示したのです。

この提言では、経済成長を持続させるのに必要なエネルギーは、再生可能エネルギーで十分まかなえるとし、小規模分散型のエネルギー技術を活用し、地域熱供給（地域暖房）を導入することにより、エネルギーを合理的・効率的に利用できるようになるとのビジョンを描き出していました。驚くべきことに、それは、今日のデンマークにおけるエネルギーシステムの骨格となるような内容でした。

それでも電力会社や政府の原発推進派は、原発の導入に固執していました。それに対してＯＯＡは、万単位の市民が集まる反対デモや集会を行い、代替エネルギーシナリオに基づく「原発のないデンマーク」という小冊子を２００万冊、配りました。これは、デンマークの全家庭に相当する数でした。とうとうデンマーク議会は、１９８５年に原子力計画の放棄を正式に決めたのです。

代替エネルギーシナリオの最後には、こう記されています。

「エネルギー供給のあり方は、経済、環境、そして社会の長期的な方向性を決めてしまうため、さまざまな代替案について幅広く国民的に議論することが重要だ。民主的な社会では、少人数の専門家だけでその責任をとるというやり方は許されない。代替エネルギー案について、包括的な情報が明示されなければならない。そうした情報がなければ、我々がプルトニウム経済を選ぶのか、それとも太陽エネルギー経済を選ぶのかは、単に惰性で決まってしまう」

ここには、「エネルギー・デモクラシー」とでも言うべき思想が感じられはしないでしょうか。ひるがえって、いまの日本はどうでしょうか。

風力発電大国・デンマーク

デンマークにとって1980年代は、風力発電を本格的にスタートさせた時期でもありました。発電風車の開発が始まったのは、19世紀末のことです。その後、ほぼ1世紀にわたって風力発電の開発と普及に取り組んできました。

第2次世界大戦中には石油と石炭の欠乏に苦しみ、1kW程度の小型風車が1000基以上も普及しました。その後、1970年代になると、原発反対運動が高まりをみせるようになり、こうした流れを背景に風力発電への関心が高まっていきます。

1979年には、風力発電により生み出された電気を送電網に接続する「系統連系」を、世界に先駆けて実現させています。これによって、発電風車の普及に弾みがつきました。というのも、発電所でつくられた電気は、この系統連系によってはじめて、一般家庭や工場、ビルなどに送電されることになるからです。

風力発電の普及を牽引したのは、「風力発電協同組合」でした。デンマークには、協同組合の長い歴史と文化があります。最初の農業協同組合が1866年に発足し、1869年にはデンマーク最初の労働組合となる印刷職工組合が生まれるなど、購買店や住宅などの分野にも広がっていきました。「一人は万人のために、万人は一人のために」の精神で、問題解決のために多くの組合員が様々な活動をしています。風力発電協同組合として交渉することによって、電力会社との間で電力買取の合意を得ることができたのが、まさにその協同組合の精神を体現した良い例です。

風力発電協同組合が初めてできたのは、1980年のことです。「地域住民自らが使う電気は自分たちでまかなおう。そのために風力発電機をみんなでつくろう」という考えに基づいて結成された協同組合は、デンマーク全土に広がっていきます。

そして1984年に風力発電協同組合は、政府の仲介により電力会社と「固定価格買取制度の三者協定」を結びます。「電力会社は、電気料金の85％の価格で風力発電からの電気を購入する」という約束を取りつけたのです。これが、再生可能エネルギーの普及を世界各国で後押しした固定価格買取制度のルーツです。デンマークはこの協定によって、風力発電を順調に増やしていきました。

現在、デンマークにある風車のおよそ8割は、風力発電協同組合や個人など、地域のコミュニティが所有しています。数でいえば、約5500基です。2001年にコペンハーゲン市の沖合に完成した世界初の洋上風力発電も、20基のうち半分は協同組合が所有しています。

当初、この発電所の建設については、景観を損ねることになるなど、反対意見も少なくありませんでした。こうしたなかで市民たちは、タウンミーティングを何度も行い、合意を形成していったのです。ここにも、エネルギー・デモクラシーが息づいていることが見て取れるのではないでしょうか。

地域熱供給とコジェネレーションによる「柔軟性」

デンマークが自然エネルギー100%を実現させる上で、風力発電に加えて、もう一つの柱としているのが地域熱供給（地域暖房）です。

地域熱供給というのは、一カ所、あるいは複数の熱供給設備から、その地域の施設や住宅にパイプを通じて温水を供給し、暖房や給湯に利用するシステムのことです。

世界で最も早く1900年に地域熱供給を開始したデンマークは、第2次世界大戦後に国民生活の向上という目的で本格的に地域熱供給の整備に取りかかりました。それが加速したのは、1973年の石油ショック後です。

前に述べた1976年のエネルギー計画には原発計画が含まれているという問題がありましたが、省エネと原油輸入を重視する観点から「電力供給法」を定め、新規の火力発電設備に対し、電気と熱の両方を活用する熱電併給（コジェネレーション、コジェネ）であることを義務付けたのです。というのも、発電だけでは、原油や石炭の持つ1次エネルギーの4割しか電気にならず、残りの6割を捨てることになるのに対して、コジェネであればその排熱を地域熱供給を通して給湯や暖房、工場などで利用できるため、1次エネルギーの8割以上を有効活用できるからです。ここから地域熱供給とコジェネが急速に普及していきました。

同じ1970年代に北海で開発された天然ガスも、地域熱供給とコジェネの燃料として広く使われるようになりました。ただしこの時点では、まだ地球温暖化問題が浮上する前でしたので、地域熱供給用の熱源となるコジェネの燃料は、石炭と天然ガスが主体でした。

その後、1980年代の後半から地球温暖化問題が重視されるようになり、1990年に炭素税を導入したデンマークでは、温室効果ガスである二酸化炭素の削減のために、地域のエネルギー協同組合や農家が、地域熱供給の熱源として、家畜の排泄物や食品の残りなどを発酵させたバイオガスや麦ワラ、木質チップなどのバイオマスにも取り組むようになりました。

風力発電は「風まかせ」といわれるように、気象条件によって大きく発電量が変化します。デンマークでは、全土におよそ1000基あるコジェネが、風力発電の発電量の変動を相殺するように運転されます。風力発電量が多いときには多くのコジェネを抑制・停止させ、逆に風力発電量が少ないときには多くのコジェネが稼働します。その調整は、電力市場を通じて行われています。風力発電量が多いときは電力市場価格は下がるため、燃料の必要なコジェネを運転しても利益が小さいか、損失が出てしまうため、運転止めます。逆に風力発電量が少ないときは電力市場価格が高くなるため、コジェネを運転することで売電収入を得るのです。

コジェネは電気のほかに熱（お湯）も生み出し、地域熱供給は暖房と給湯に利用されています。コジェネや地域熱供給の熱源があるステーションには、必ず大きな貯湯タンクがあります。地域熱供給は、そこで必要となる給湯量を予測しながらコジェネやバイオマスボイラーを運転させれば済みます。ところが、コジェネの運転を、前述のような電力市場や風力発電量の変動に連動させると、お湯の需要量が増えそうな時でも運転されなかったり、逆にお湯があまり必要でない時に運転されてしまうことも起こります。そういうお湯の過不足は、すべて大きな貯湯タンクで吸収します。

すべてのコジェネの稼働を停止させても、電力需要に対してなお供給が超過するほど風力発電量が大きい場合には、電力市場価格が限りなく安くなるため（ときにはマイナス価格になるため）、ヒートポンプや温水ヒーターなどを用いて、地域熱供給用の温水を作ります。

地域熱供給者にとっては、風力発電事業者から、天然ガスやバイオガスのコジェネでお湯を作るよりも安くお湯が得られるというメリットがあります。風力発電事業者にとっては、いくら安い電力市場価格であっても、風力発電の稼働を止めて収入がゼロになるより多少なりとも良いことです。電力市場にとっても、需給調整と市場の安定性に役立ちます。風力発電というクリーンなエネルギーで地域熱供給を脱炭素化できることになり、また、デンマーク全体としても再生可能エネルギー自給率が高まります。

上述のような貯湯タンクは、デンマーク全土に約5000カ所あります。これら地域熱供給の貯湯タンクは、いわば「お湯で電気を貯める大きな蓄電池」なのです。エネルギー技術を国際的に売り込んでいるデンマーク政府は、このシステムを「リチウムイオン電池よりも100～1000分の1安い蓄電池」と自慢しています。

このようにしてコジェネや地域熱供給は、電力市場における「柔軟性」を担保しているのです。

デンマークでは今、さらにその先へと進もうとしています。すでに5割前後の風力発電をさらに普及・拡大させつつ、その風力発電の変動分をより柔軟に吸収できるようにするために、風力ガス（メタンガス）を活用するというものです。具体的には、風力発電量が大きくなって電力市場価格が下がる（もしくはマイナス価格になる）タイミングで、その電力を用いた電気分解で水素（H）を作り、この水素とバイオガスの不純物に含まれる二酸化炭素（CO_2）からメタン（CH_4）を合成するというものです。天然ガスは化石燃料由来のメタンですが、こうして合成した「風力ガス」は、二酸化炭素をむしろ減らすクリーンなメタンガスなのです。

現在、デンマークでは全電源の50％を風力発電で、20％をコジェネを含めたバイオマス発電でまかなっています。両者を合わせると70％になりますが、2050年までに電力はもちろん、エネルギー全体を100％まで持っていくことを国として決定しているのです。

小規模・地域分散型エネルギー体制への大転換

日本の風力発電は、欧米や中国など世界の多くの国の普及状況と比べて、完全に取り残されています。なぜここまで遅れてしまったのか。その「失敗の歴史」を簡単に振り返ってみます。

1981年から国（当時の通産省）主導でサンシャイン計画が立ち上げられ、500kWという大型風車の開発に向けて、まずは100kW級パイロットプラントの実証研究が始められています。しかし結果として、日本の風力発電の開発は「失敗」に終わりました。これに対して、ある東大名誉教授が「日本の風は風力発電に向かない」と負け惜しみのような発言をしましたが、これはまったく根拠がありません。日本の風力発電開発は、失敗するべくして失敗したのです。むしろ、東大名誉教授ともあろうお方がこうした全く根拠のない発言をすること自体が、日本のエネルギー政策の「失敗の本質」の一因なのかもしれません。

さて、日本がいきなり500kWという、当時では超大型の風力発電開発を目指したのは、

「小型風車はエネルギー供給の役に立たない」という思い込みゆえのことかもしれませんが、それこそが失敗の原因でした。今なお世界の風力発電市場をリードするデンマークとは好対照です。

デンマークでは、数キロワットの小規模な風力発電からスタートし、これまで見てきたようなプロセスを経て、世界有数の風力発電大国になったのです。成功の要因として、①オープンな技術開発とそれを普及させる需要サイドからの牽引（3者合意に基づく系統連系と電力買取）、②政府による長期的に一貫した支援、③小さな市場からスタートし、継続的な学習の蓄積、④関係するさまざまな当事者間でのネットワークの形成とその好循環――という4点が挙げられています。[10] 考えてみれば、日本の風力発電に関しては、いずれも欠けてきた要素です。

こうしてデンマークのエネルギー供給体制は、この三十年余りの間で大きく変化しました。大規模・集中型の少数の大型石炭火力発電から、小規模・地域分散型の多数の風力発電やコジェネへとその構造が抜本的に変化したのです（図1―7）。

1980年当時、十数基の大型石炭火力発電は少数の電力会社が所有していましたが、今日では数千基もの風力発電やコジェネのほとんどは協同組合や農家、地主など、地域の人たちが共有しています。

デンマークの風力発電は、これまで見てきたように、風力発電協同組合がリードしてきました。つまり、政府が一方的に主導してきたわけではないのです。再生可能エネルギーその

図1−7　デンマークのエネルギー供給体制の構造変化

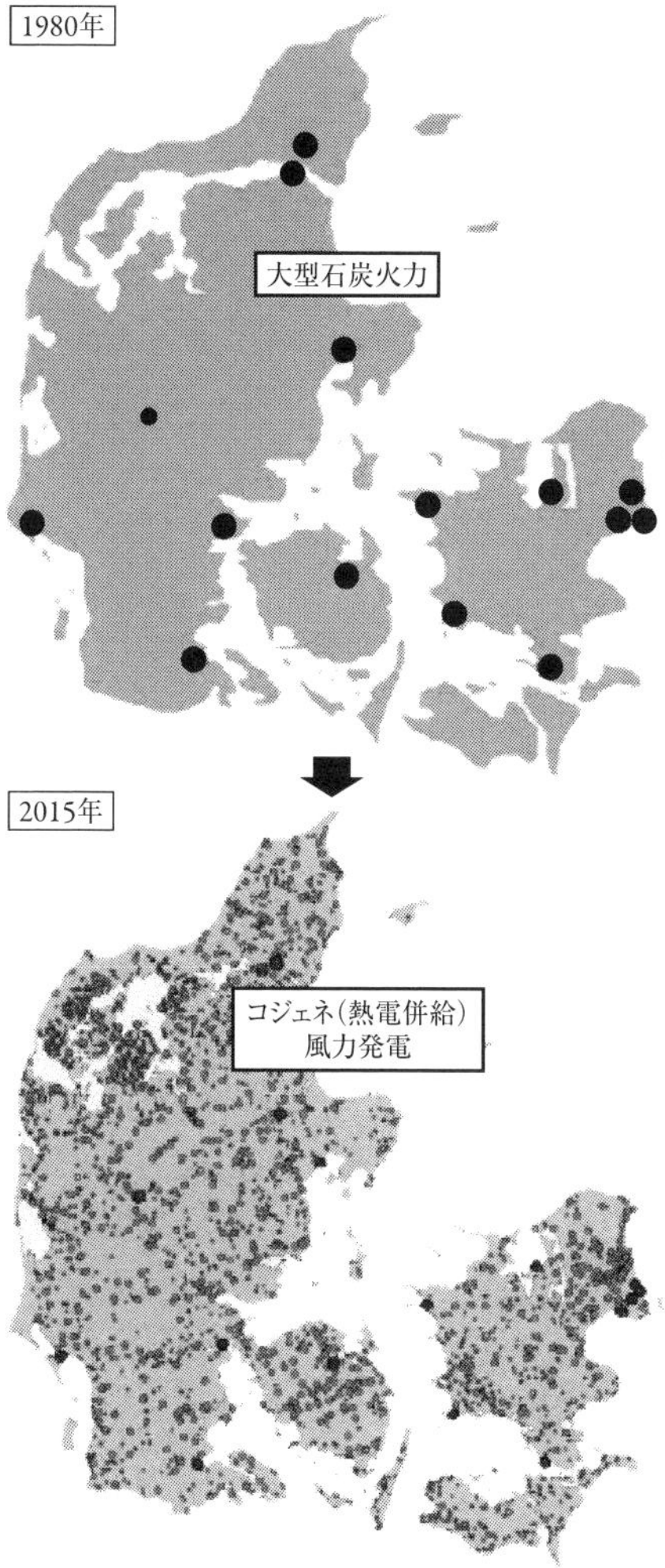

10——木村宰「技術開発政策の実効性に関する既往研究のレビュー——エネルギー技術分野を中心に——」(調査報告：Y05029) 電力中央研究所報告 2006年5月。

ものが、分散型のエネルギーシステムに適合的だということもあるでしょう。しかしそれだけで、デンマークが現在のような環境先進国になることはなかったはずです。自分たちが暮らす地域において、自然環境を保全しながら、エネルギーをどう確保するか、みんなで議論をし、合意を作ってきたからこそ、今日があるのだと思います。

デンマークの風力発電の歴史は、風力協働組合が創り上げてきた部分が大きいのですが、2000年代に入って風車の大型化と事業そのものの巨大化、そして電力会社や投資会社など企業セクターがこぞって市場に入ってきた結果、2001年のコペンハーゲン洋上風車と2005年のサムソ島洋上風車の風力協同組合を最後に、ほとんど見られなくなりました。しかしデンマーク政府は、2008年の自然エネルギー推進法の中で、風力発電に関して、地域社会から最低20パーセントの出資を義務づけています。デンマークのこうした実践も踏まえて、風力発電の国際的な連携機関である「世界風力エネルギー協会」は2011年に「コミュニティパワー3原則」を提唱しています。それは次のようなものです。

・地域の利害関係者がプロジェクトの大半もしくはすべてを所有している
・プロジェクトの意思決定はコミュニティに基礎をおく組織によっておこなわれる
・社会的・経済的便益の多数もしくはすべては地域に分配される

以上のことから分かるように、再生可能エネルギーへの転換とは、社会インフラの抜本的なアップデートであるだけでなく、エネルギーの所有やガバナンスのあり方をも見直す契機をもたらすものなのです。

第2章

ガラパゴス化と希望のタネ

金子 勝／飯田哲也

再生可能エネルギーがいま、急速な勢いで世界中に広がっていることは、第1章で飯田さんが詳しく説明してくれました。そこで起きていることを、言葉を換えて表現するなら、「電気代ゼロの時代」が到来しつつあるということです。まるで3段ロケットのように、電気代が段階を踏んで下がっているのです。

まず一段目のロケットでは、太陽光や風力は、火力発電などと違って再生可能エネルギーなので燃料費がかからず、限界費用ゼロだという議論が広まりました。厳密に言うと、太陽光発電にしろ風力発電にしろ設備投資やメンテナンス費用がかかりますから、限界費用ゼロとは言えないのですが、普及のスピードを速めるために、このような言い方がなされたわけです。

二段目のロケットでは、量産効果（規模の経済）をはじめ「技術学習効果」によって、猛烈な勢いで価格が下がっていくということが生じます。太陽光発電も、風力発電も、小規模分散型のエネルギーです。大規模な設備がいらないわけです。しかも、再生可能エネルギーの場合、発電設備をいったん整えれば、発電のための燃料費はかかりません。こうして、世界各国で次々と再生可能エネルギーの発電設備が設置され、量産が加速し、価格が急激に下がっていく。これが二段目のロケットです。

そして三段目のロケットで重要な役割を果たすのが、第1章でも説明のあった、固定価格買取制度です。誤解している人もいますが、この制度は補助金ではありません。

この制度では、再生可能エネルギーで発電した電気を、国が定めた固定価格で電力会社が10年から20年にわたって買い取ることになっています。ですから、発電装置などの初期投資で生じた赤字をカバーすることができ、新規参入を促す仕組みになっているわけです。こうして再生可能エネルギーが拡大すればするほど、量産効果が発揮され、発電コストが低下していく。それによってますます普及していくという、独特な制度です。

地球環境を守る税や補助金は、しばしばピグー税やピグー補助金で説明されます。たとえば、市場に任せておくと、企業は公害という外部不経済を出しても利益を出すように生産してしまいますが、これに税金を課して（あるいは補助金を出して）生産を抑制して公害（外部不経済）を抑制します。企業の私的利益は抑えられますが、社会的利益は増します。たとえば、これは、地球温暖化（外部不経済）を抑制する炭素課税である「環境税」に関する典型的な説明のひとつです。さらに、環境税の税収を社会保障に充てると社会に利益をもたらすという意味で、「二重の配当」論と呼ばれます。

ただし再生可能エネルギーの固定価格買取制度（FIT：フィード・イン・タリフ）は、ピグー税やピグー補助金とは大きく違っています。消費者に賦課金を課しますが、再生可能エネルギーを減らすのではなく増やします。むしろ生産を抑制するのではなく増産することで、再生可能エネルギーの産業を育成することを目的にしています。FITは、電気料金制度なので、むしろ価格規制政策と考えられます。電気やガス、鉄道の公共料金は通常、独占が発生しやすいので、上限規制が設けられる場合が多いです（ただし、民営化や市場化を進めながら上限規制をすると、アメリカの大停電のように失敗する事例もあります）。これに対してFITは、産業を育成する価格支持制度なので下限規制に近くなります。この場合、主流派経済学は通常、過剰生産を招くかレントシーキングが生じて「非効率」なものと考えます。

ところが、このFITが独特なのは、レントシーキングを防ぐ仕組みが組み込まれていることです。

まず第1に、再生可能エネルギーが「規模の経済（スケールメリット）」あるいは技術革新の効果が働いて価格が低下することが想定されていることです。第2に、毎年のように、再生可能エネルギーの生産が増大して価格が低下していくと、それに応じて固定価格を引き下げていきます。第3に、10年ないし20年がたつと、つぎつぎと固定価格での買取は終わっていきます。その過程で、10年ないし20年の固定価格買取が終わっても、技術革新によって耐久性も増して発電ができるので、投資コストの回収が済んだ、タダの自給エネルギーとなっていきます。こうして、他のエネルギーに対して価格的に競争できるようになると、この固定価格買取制度それ自体が消滅していくことになります。

この制度をもっとも早く導入したのがデンマークで、1984年のことです。ヨーロッパ諸国では90年前後になって、この制度を相次いで実施するようになります（ポルトガル〔88年〕、ドイツ〔91年、00年〕、デンマーク〔79年、84年〕、スペイン〔94年、97年〕）。

日本でこの制度がスタートしたのは2012年7月のこと、そのために必要な特別措置法（FIT法）が閣議決定されたのは11年3月で、民主党の菅政権のときでした。ところが2012年12月に発足した第2次安倍政権は、原発再稼働をエネルギー政策の軸にしてしまいました。諸外国と比べて、再生可能エネルギーの普及がなかなか進まない元凶は、ここにあると言っても過言ではありません。

しかも、日本の場合、FIT（再生可能エネルギーの固定価格買取制度）が極めて特殊な性格を帯びていました。それは、ドイツや他の国のFIT制度と違って、日本だけが設備認定時に調達価格を決めるという制度にしてしまったため、ぎりぎり認定期間まで先延ばせば、太陽光など再生可能エネルギー（とくに太陽光発電）の価格低下が大きいために、大規模業者のレントシークが可能になっていたことです。これは普及とともに再生可能エネルギーの価格が下がることを前提に設計されたドイツなど本来のFIT制度の本質を理解せず、日本の官僚が不勉強のまま制度設計してしまった「日本型FIT法」固有の欠陥でした。

そして、政府はそれを理由に、日本の再生可能エネルギーの製造業も中小発電業者も育てることなく、ＦＩＴをどんどん改悪していきました。入札制度を入れ、さらにはＦＩＴを止め、定額補助に変えていこうとしています。結局、それは既存の大手電力会社をはじめ大規模発電業者に有利になり、地域の中小発電業者を排除していく効果を持ちます。

後述するように、もともと第1次安倍政権のときに原発輸出政策を打ち出しましたが、第2次安倍政権になって当初は慎重な姿勢を示したものの、すぐに復活させました。しかし、日立製作所、東芝、三菱重工業という、日本の三大原子力メーカーが推進しようとした原発輸出はことごとく頓挫しています。他方で、東電などの大手電力会社は地域独占体制に守られ、原発再稼働にこだわり続けています。つまり、日本は世界の潮流から取り残された「原発ガラパゴス」の状態にあるのです。

そこでまず、ガラパゴス化がどのように生じたのかを検証することにしましょう。

1　世界的なトレンドに逆行する日本

「原子力ルネサンス」という失敗

２００１年１月に米国大統領に就任したジョージ・Ｗ・ブッシュは、その年の５月に包括的な国家エネルギー政策を発表し、原子力発電はクリーンで、供給面で制約がないとして、その拡大を図ることを強調しました。その背景には、天然ガスや石油の価格が高騰していたことがあります。その頃はアメリカだけでなく、イギリスやフランスなどでも、原子力発電の再評価や建設計画の動きがありました。こうした潮流を総称して「原子力ルネサンス」、あるいは「原子力復権」と呼ぶことがあります。

こうした中で2005年に小泉政権は、原子力発電を推進すべく「原子力政策大綱」を閣議決定します。この大綱を実現するための具体策としてまとめられたのが、翌2006年の「原子力立国計画」です。そしてこの年の9月に第1次安倍政権が発足。その翌月には東芝が、アメリカの代表的な原発メーカーであるウエスティングハウス（WH）を買収し、原発の新たな増設と原発輸出政策が進められていったわけです。

ちなみに、「原子力立国計画」策定時に、首相秘書官だったのが経産省出身の今井尚哉氏で、第2次安倍政権では政務秘書官そして補佐官兼務になります。そして「同計画」を中心になって立案したのが資源エネルギー庁原子力政策課長だった柳瀬唯夫氏で、第2次安倍政権では首相秘書官になり、加計学園問題に関わることになります。

ともあれ、2012年の総選挙で自民党は圧勝し、第2次安倍政権が発足すると、「アベノミクス」の成長戦略の柱の一つとして原発輸出を位置づけ、力を入れていきます。福島第一原発事故により原発に対する国内世論が厳しくなり原発の新設が難しくなったことから、原発を海外に売り込むことに活路を見出したわけです。

こうした中で、日本を代表する重電機メーカーの東芝、日立、三菱重工は、海外での原子力事業の拡大を推進していきました。

たとえば東芝は、先述のようにアメリカの原発メーカー大手であるウェスティングハウスを、のれん代（ブランドや技術力など目に見えない資産）を含めて約54億ドル（約6400億円）で買収します。

もともと東芝は、アメリカのゼネラル・エレクトリック（GE）と組んで沸騰水型（原子炉で水を沸騰させて蒸気を作り、その蒸気でタービンを回して発電する方式）の原発をつくっていました。ところが、世界の主流は加圧水型（原子炉で作った熱湯を蒸気発生器に送り、その蒸気でタービンを回して発電する方式）で、ウェスティングハウスが加圧水型の技術を持っていたため、2006年10月に同社を法外な値段で買収したわけです。

じつは米国では1979年3月のスリーマイル島原発事故の前年、78年12月から2008年に至るまで、原発の新規受注は一つもありませんでした。21世紀に入って、ブッシュ政権の後押しもあって、先ほど述べた「原子力ルネサンス」の動きが高まるなかで、原発を新たに建設する計画が浮上します。そして2008年4月から5月にかけて、米国ジョージア州のボーグル原発3号機、4号機、サウスカロライナ州VCサマー原発2号機、3号機の計4基の受注契約を結ぶことに成功したのが、ウエスティングハウスでした。

ところが、2001年9月の同時多発テロを受けて、航空機が原子力発電所に衝突した場合でも完全性を確保するための基準をめぐって議論してきた米原子力規制委員会が、09年2月に安全規制のハードルを引き上げます。こうした中で生じた、2011年3月の福島第一原発事故。この一件を受けて米原子力規制委員会は、規制を一段と厳しくしました。

こうしてウエスティングハウスは何度も設計変更を求められ、工期が遅れていき、コストがかさんでいきました。しかも、同社が2009年に受注していたフロリダ州レヴィ原発1、2号機は、原子力規制委員会からの建設・運転一括許可がなかなか下りず、電力会社と結んだ契約が期限切れとなってしまい、結局、契約が解除されてしまいます。

それに追い打ちをかけたのが、米国のエネルギー政策の転換でした。2000年代に入って、それまで困難だった、地下数百～数千メートルの頁岩《けつがん》層（シェール層）に含まれているメタンなどの天然ガスを、低コストで採掘できるようになったのです。しかも米国の埋蔵量は中国に次いで世界第2位。こうしてシェールガスの生産量は飛躍的に拡大し、米国では安価な天然ガスを用いた火力発電が急増します。このため原発のコスト競争力は相対的に低下し、ウエスティングハウスは大打撃を受けて倒産、その過程で7000億円以上の隠れ借金があることが明らかとなります。

東芝は当初、莫大な額に上るこの借金を不正会計でごまかそうとしました。しかし、隠し切れず、損失を補うために自社の優良部門を切り売りします。センサー部門はソニーに、医療機械部門はキヤノンに、白物家電は中国企業に、そして半導体部門は外資に、それぞれ売却したわけです

日立の場合、原発開発会社ホライズン・ニュークリア・パワー社を、ドイツの電力会社2社から6億7000万ポンド（当時の為替レートで約850億円）で2012年に買収し、イギリス・ウェールズ地方にあるアングルシー島で2基の原発建設を進めていました。ところが福島第一原発事故後、イギリスでも安全基準の強化が進められ、建設費は当初の1・5倍の3兆円と高騰し、2019年1月には建設計画を凍結せざるを得なくなりました。その結果、3000億円の特別損失が生じています。

そして三菱重工は日本政府とともに、トルコに原発を建設する計画を進めていました。トルコ政府がこの計画に合意したのは2013年のこと。黒海沿岸に4基の原発を建設することになっていましたが、2019年に頓挫しています。福島第一原発事故後、原発の安全費対策が高騰したほか、建設予定地周辺に活断層の存在が指摘されるなどし、建設費が当初想定した2兆円から2倍超の5兆円規模に膨らんだのが原因でした。

それだけではありません。三菱重工は２００６年にフランスの原子力大手アレバと業務提携を結んだのですが、福島第一原発事故の影響で世界の原発市場が冷え込んだこともあって、アレバは巨額の負債を抱え込みます。２０１５年にフランス政府は同社を救済するために分社の方針を決め、新会社への出資を内外に求めたところ、三菱重工は２０１７年にこれに応じ、原子炉製造を担う新会社に約６３０億円、翌18年には、核燃料サイクル事業を手がける新会社に、日本原燃とともに計６００億円の出資を決めています。

無謀としか言いようがありませんが、「やがて、原子力ルネサンスが再来する」可能性にかけたと言われています。しかし結果は無残なものです。東芝と同じように経営が悪化しています。

このほか、日立製作所がかかわっていたリトアニアの原発建設計画は２０１２年10月の国民投票で否決され、日立、東芝、三菱重工の３社が受注していた台湾での建設計画は２０１４年に台湾政府がその凍結を発表、ベトナム政府も、２０１０年に日本政府と建設に合意したものの、16年に計画中止を発表しています。このように日本政府の原発輸出政策はことごとく失敗しているのです。

「ベースロード電源」とガラパゴス化

日本政府のエネルギー政策には大きな矛盾があります。

２０１８年に安倍政権が閣議決定した「第5次エネルギー基本計画」では、再生可能エネルギーの普及に舵を切り、原発は「可能な限り依存度を低減する」としています。にもかかわらず、原発を「重要なベースロード電源」と位置づけ、再稼働を推進するというのです。

しかもこの計画によれば、２０３０年に実現を目指す電源構成比は、再生可能エネルギーが22～24パーセント、原子力発電が20～22パーセントとなっています。再生可能エネルギーを「主力電源とする」としているのに、なぜ原子力発電がこれだけの割合を占めるのでしょうか。しかも、この数値を実現するには、約30基の原発を動かさなければなりません。矛盾というほかありません。

２０２０年5月現在、新規制基準の下で再稼働した原発は9基です。今後、17基（建設中の3基を含む）がそれに続くと言われています。原子力発電所の運転期間を40年とする「40年ルール」に従えば、２０３０年段階でまだ稼働できるのは、現存する原発のうち18基で、建設中のものを含めても21基です。

しかも、この中には、近い将来に想定される東海地震の震源地に近い浜岡原発3号機（静岡県）、２００７年の中越沖地震で被災した柏崎刈羽《かしわざきかりわ》原発4、6、7号機（新潟県）、東日本大震災で被災した女川《おながわ》原発2、3号機なども含まれています。そして、原発を新たに建設せずに、現存する原発だけで、２０３０年に30基の原発が稼働している状態にするには、運転期間を40年から60年に延長しなければなりません。

基本計画は、原発について「運転コストが低廉で変動も少なく、運転時には温室効果ガスの排出もないことから、安全性の確保を大前提に、長期的なエネルギー需給構造の安定性に寄与する重要なベースロード電源である」と述べています。石炭の発電コストが12・3円／ｋＷ時、天然ガスが13・7円／ｋＷ時、原発が10・1円／ｋＷ時で、原発が「一番安いエネルギー」だと言うのです。

しかし、本当でしょうか？

ここで注意が必要なのは、この計画が言う原発のコストに、原発を新設する際に要する建設コストが含まれていないことです。福島第一原発事故以降、安全性の確保のために建設コストは高騰し、少なくとも1基1兆円を上回ると言われています。もし、発電コストにこの分を加えると、他のエネルギーよりも高くなることが知られています。

しかも、基本計画に示された原発コストには、福島第一原発事故における事故処理費用が算入されていません。エネルギー利用と環境問題をめぐる政策課題を研究テーマとし、『原発のコスト』（岩波新書）などの著書で知られる経済学者の大島堅一・龍谷大学教授が公表した試算（２０１６年12月）では、原発の発電コストは11・4円／ｋＷ時となっています。当時、事故処理費用は約11兆円と言われていましたが、後に21・5兆円とされ、その額で試算すれば13・1円／ｋＷ時となり、決して「一番安いエネルギー」でないことが分かります。

安倍政権は、「世界で最も厳しい水準の新規制基準」の下で原発を再稼働させたと言っていますが、この規制基準と安全投資必要額には、放射性物質が漏れないように原子炉の格納容器を二重にしたり、炉心溶融（メルトダウン）の際に溶け出した核燃料を閉じ込めて冷却するコアキャッチャーなどは含まれていません。こうしたものを全部合わせると、原発は「最もコストが高いエネルギー」となるのです。

「重要なベースロード電源」というのも、安倍政権らしいウソとまやかしの言い方です。

重要なベースロード電源は、最初、２０１４年のエネルギー基本計画で登場しました。自民党が政権を奪い返した２０１２年末の総選挙では、原発推進の「本音」が見え隠れしながらも「原発依存度を可能な限り低減」という、口先だけの公約を掲げていました。そう言わざるをえないほど、当時の国民の原発に対する怒りや反感は大きかったのです。

たとえば２０１２年夏の関西電力大飯原発の再稼働をめぐって、首相官邸前に15万人（主催者発表）もの大規模なデモが行われました。そうした国民の空気を感じ取っていた安倍政権が、「原発依存度低減というウソ公約」の次に使った手が「重要なベースロード電源」です。これは、原発という毒アンコを覆い隠すための「衣」だったのです。

加えて、「重要なベースロード電源」は、もっと罪深い問題をはらんでいます。

というのも、海外、とくに欧州ではすでにベースロードという考え方自体が、旧い枠組みとして、捨て去られつつあるからです。再生可能エネルギー、とりわけ資源量が無尽蔵で、しかも劇的に安くなってきた太陽光発電と風力発電を最大限活用するために、第1章で述べたとおり、ベースロードに代わって柔軟性（フレキリビリティ）という考え方へと大転換が起きているからです。ところが日本では、いまだに「重要なベースロード電源」が金科玉条となっていることも、「ガラパゴス日本」の残念な側面です。

安倍首相は2018年9月、英フィナンシャル・タイムズ紙に気候変動問題について寄稿し、再生可能エネルギーの普及・拡大を呼びかけています。ですが、本気で言っているとは到底思えません。2017年度の再生可能エネルギーの発電量の割合は15・6パーセント。「第5次エネルギー基本計画」は、2030年には再生可能エネルギーの電源構成比を22～24パーセントに持っていきたいとしています。とすると、これから13年間かけて再生可能エネルギーを7パーセント増やせば22・6パーセントとなり、目標達成です。年換算でわずか0・5パーセントほどしか増やす気がないのです。

それに対してドイツは、最終電力消費における再生可能エネルギーの割合を２０３０年までに50パーセント以上、フランスは発電量に占める再生可能エネルギーの割合を２０３０年までに40パーセント、スペインでも最終電力消費における再生可能エネルギー比率を２０３０年までに42パーセント、イギリスも総電力費に占める再生可能エネルギー比率を２０３０年までに44パーセントとすることを目標に掲げています。これらの国々と比べて、日本の目標値は著しく低いのです。

しかも日本の場合、目標として掲げる22〜24パーセントのうち、約８・８〜９・２パーセントは、すでに存在する水力発電なのです。この分を除くと、２０３０年時点で太陽光発電は7パーセント、風力発電は１・７パーセント、バイオマスは３・７〜４・６パーセントに過ぎません。

こうしたやる気のない政策は、企業にも深刻な影響を与えています。１９９０年代まで日本の企業は、太陽光発電のソーラーパネルの世界シェアで先頭を走っていました。シャープ、京セラ、三菱電機、サンヨーが世界トップ5に入っていたのです。ところが、見てきたように政府が原子力発電に固執し、再生可能エネルギーの普及・拡大に本腰を入れることがなかったために、今ではこれらの企業はトップ10にも入っていません。中国のメーカーにその座を奪われているのです。

こうして日本は、世界的なトレンドとなっている再生可能エネルギーへのエネルギー転換に立ち遅れ、「原発ガラパゴス」状態になってしまったのです。

スピード感に欠ける電力システム改革

日本で再生可能エネルギーが普及しない大きな理由の一つとして、「系統制約」の問題があります。

太陽光や風力でどれだけ電気をつくっても、それを必要とする側に送電するには、送配電網が整備されていなければなりません。実際、再生可能エネルギーの発電業者が電力会社に送配電網への接続を求めても拒否されてしまうという事例が相次いでいます。大手電力会社はその理由として、基幹送電線に空き容量がないことを挙げています。

しかし、「空き容量」がないというのは本当なのでしょうか。

安田陽さんと山家公雄さん（ともに京都大学大学院経済学研究科特任教授）の試算では、基幹送電線の利用率は大手電力10社の平均で19・4パーセント、「空き容量ゼロ」とされた基幹送電線は全国に139路線あったものの、実際の平均利用率は23・0%だったと指摘しています。他方で、一時的に利用率が100%を超える「送電混雑」が1回でも生じたことがあるのは60路線で、このうち22は東京電力の路線でした（2018年1月28日付、朝日新聞デジタル)。

このように、バックアップとして残すことを想定しても、基幹送電線の容量にはまだ余裕があるのです。にもかかわらず「空き容量」がないという理由で再生可能エネルギーが接続できない状況について、電気事業連合会の勝野哲《かつのさとる》会長は「原子力はベースロード（基幹）電源として優先して活用する」と述べています。原発はもはや不良債権化しているにもかかわらず、大手電力会社はその再稼働を最優先しているわけです。政府だけでなく電力会社も、再生可能エネルギーの普及・拡大を妨げているということが、このことからも分かります。

2014年9月に「九電ショック」が起きます。太陽光発電の接続申し込みが急増し、電力需要を上回ることを懸念した九州電力が、「新たな接続申込を中断する」と発表したのです。北海道電力、東北電力、四国電力、沖縄電力がその後に続きました。電力各社は、この年の年末になって、必要に応じて再生可能エネルギーの接続を抑制するがその補償はしないという条件で、接続契約を再開します。抑制が増えれば、売電による収入が減ってしまいます。このため、再生可能エネルギー分野に参入する事業者が減ったと言われています。

さらに九州電力は2018年秋に、離島を除けば全国初となる出力制御を行いました。太陽光による発電が急増し、電力需給のバランスが崩れると、大規模停電になりかねないというのが、その理由でした。ところが、その一方で九州電力は、電力が不足しているからと、

2015年には川内《せんだい》原発1、2号機（鹿児島県）を、18年3月には玄海3号機、同年6月には玄海4号機を再稼働させているのです。矛盾してはいないでしょうか。

それ以外にも、再生可能エネルギーの普及・拡大を妨げている要素があります。

現在の仕組みでは、送電線に接続するための工事を行う場合、発電事業者は電力会社に負担金を支払うことになっているのですが、法外な工事負担金を要求されることが少なくないのです。実際には、「空き容量ゼロ」となっている運用方法を見直せば、工事負担金は軽減できますし、特定業者の個別契約ごとに工事負担金を請求するのでなく、利用者全般の平均コストにすべきですが、大手電力会社のやりたい放題になっています。

自然エネルギー財団が実施した、太陽光発電事業者を対象とするアンケート調査によれば、送電線の接続問題で事業を断念したことがあるとの回答が60件もあり、中には、当初の説明の20倍もの工事費を求められた業者もあったようです。

こうした状況を改善し、再生可能エネルギーを普及させるには、2020年4月からスタートした「発送電分離」を実効性あるものとしなければなりません。長らく日本では、大手電力会社が発電、送配電、小売りという主要3部門を一手に担う「地域独占」が続いてきました。再生可能エネルギーなどの分散型電源を普及・拡大する上で、この「地域独占」が障害となっていたのです。ですから、大手電力会社の発電事業と送配電事業をきっちり切り分け、送電会社の独立性・中立性を確保しなければなりません（この制度の問題点については後述します）。

福島第一原発事故を契機に、①電力の安定供給の確保、②電力料金の最大限の抑制、③電気を利用する人の選択肢の拡大、事業者の事業機会の拡大――を目的に、日本でも電力システム改革がようやく始まりました。

第1段階として、2015年4月に電力広域的運営機関が設けられ、同年9月には電力取引監視等委員会（2016年に電力・ガス取引監視等委員会に改称）が設立されました。

これまで電力系統（発電・変電・送電など、電力を消費者に供給するためのシステムの総称）は、東京電力など10の電力会社の供給エリア別に分割されてきました。それを平時・緊急時を問わず発電所を広域的に運用し、送配電網・地域間の連携などを一定の強制力を持って進めるために、これらの組織が発足したのです。

第2段階は、電気の小売業への全面自由化です。それまでは工場やビルなど大規模事業者が、電力会社を自由に選べるという部分自由化でした。2016年4月から、家庭や商店なども電力会社や料金メニューを自由に選べるようになったのです。この「小売」部門の全面自由化によって、これまでの電力事業者から、新しく誕生した事業者への契約先の切り替え（スイッチング）が増えています。

そして第3段階として、先述の発送電分離が2020年4月からスタートしました。ですが、問題があります。この仕組みは、大手電力会社から、送配電を行う事業を切り離して形式上の別会社とするもので、あくまで「法的分離」ですから両者の資本関係は認められており、持ち株会社や子会社化さえ可能です。実際に、東京電力と中部電力は持株会社方式で、他の電力会社は送電会社を子会社化しました。持ち株会社が、傘下の発電会社が経営破綻しないように、不良債権化した原発で発電したエネルギーを優先的に買うこともできるわけです。

また、送電会社は引き続き総括原価方式で絶対に儲かりますから、大手電力会社の各部門の費用をできるだけ送電会社に寄せて託送料金を高くすることで、他の新電力会社に対して有利になると同時に、持株会社から見た利益を確保する一挙両得のような操作もできるのです。ましてや、関西電力など他の電力会社は、送電会社を子会社としていますから、独立性や公平性、情報の遮断などはとうてい期待できません。このような仕組みは根本的に問題があると言わざるを得ません。発電会社と送配電会社を完全に分離する「所有権分離」に改めるべきなのです。それによって、「地域独占」に固執してきた大手電力会社を解体しなくてはなりません。

電力広域的運営機関と電力・ガス取引監視等委員会も、そのメンバーを内閣などが任命する際に、衆参両院の承認を必ず必要とするような独立機関にするべきです。そうすれば、発送電の所有権分離によって独立性を増した送電会社に対して、これらの独立機関は、ドイツのように再生可能エネルギーを優先的に接続するように義務づけることができます。

このように日本では電力システム改革が10年以上遅れており、まだまだ課題が山積しています。少なくともＥＵでは、すでに１９９７年にＥＵ電力指令が発効し、加盟国に対して２００３年までに、①発電部門の自由化、②第三者に対する非差別的な送配電系統の利用機会の提供、③電力会社に対する発電・送電・配電別の会計分離の義務付け――などを求めました。２００３年にはさらなる自由化を進めるために、送電部門を別会社として分離させると同時に、２００７年7月までに電力小売市場の全面自由化を実現することが求められ、この目標は達成されています。

日本とＥＵとで電力システムの改革がどれだけ進んでいるかを比較すると、そのスピードが全く違うということがお分かりになるのではないでしょうか。いまなお日本では、原子力ムラの支配が根強く、電力会社の地域独占を維持しようとするところがあり、改革を中途半端で迅速性に欠けるものにしています。

原発ゼロを進める3つの原則

先ほど私は、原発は不良債権化しているということを言いました。というのも、稼働が停止しているだけで、年間約1兆円もの赤字を出すからなのです。超党派議員「原発ゼロの会」が2013年に公表した推計によれば、国内のすべての原発を廃炉にする費用は4・4兆円になります（その後、定額法による減価償却に変更し、残存価値が減少してきています）。

では、不良債権化した原発を処理しつつ、電力会社を解体するにはどうしたらいいのでしょうか。3つの原則で考えるべきだと私は考えています。

第一に、東京電力の経営責任を明確にすることです。そのためには少なくとも民事裁判によって、福島第一原発事故当時の経営者に、きちんと賠償させなければいけません。

そして東京電力をゾンビ状態で救済し続けるのをやめることです。2012年に政府は、東京電力に対して1兆円もの公的資金を注入しました。これにより東京電力は実質、国有化されたわけですが、その時、枝野経産相（当時）は、「賠償、廃炉、電力の安定供給という三つの課題」を実現するために公的資金を投入したと述べています。しかし実際には1兆円では足りず、政府は5兆円の交付枠を別途、用意します。

ところが、賠償や除染などの費用がさらに膨らむとのことで、政府は2013年12月に交付枠を5兆円から9兆円に拡大する方針を固めます。言うまでもなく、これらのお金はすべて交付国債ですから結局は税金です。事故当時の東電の経営責任を問わず、このように救済措置を講ずることで東電はゾンビ企業と化し、福島第一原発の事故処理や賠償、除染は遅々として進まないという、おかしなことになっているのです。

2016年末に、東京電力改革・1F問題委員会は、福島第一原発の事故処理費用が従来の11兆円から22兆円になったとの試算を発表しました。廃炉費用が2兆円→8兆円、賠償費用が5兆円→8兆円、除染・中間貯蔵施設が4兆円→6兆円となり、従来の額のほぼ倍に増加したのです。

これに対して、2017年3月そして2019年3月に再試算した、日本経済センターによる事故処理費用は40年間で35兆~80兆円でした。経産省の試算と比べると、汚染水の浄化処理費用約40兆円を含めた廃炉費用が8兆円→51兆円、賠償費用が8兆円→10兆円、除染費用が6兆円→20兆円でした。これまで経産省は原発コストを低めに見積もるために、ずるずると不良債権処理を続けて事故処理費用を徐々に増やしてきましたが、今も経産省の試算が相当に甘めであることを示しています。

たしかに東京電力は、持ち株会社の下に火力発電会社、送配電会社、廃炉カンパニーなどに「分離」されました。しかしこれは、先述したように「法的分離」に過ぎません。このままでは、本格的な電力システム改革にはならないのです。福島第一原発の事故処理や賠償、除染のための費用をきちんと確保すると同時に、国民負担が膨らまずに済むように、東京電力を抜本的に改組すべきでしょう。

そのためにはどうすればいいでしょうか。

私の考えでは、すでにゾンビ企業と化している東京電力に民事再生法を適用していったん破綻させ、発電会社と送配電会社に所有権分離した新会社を設立するとともに、原発をいったん「国有化」しなければなりません。旧東電の資産、もしくはその資産を引き継いだ新会社と子会社の株式を売却して、賠償費用に充てるのです。その際、東京電力に融資した金融機関の、貸し手としての責任も問うべきです。既発の電力債は負債（借金）として新会社が引き継ぐとしても、銀行には少なくとも不良債権化した原発への貸し手責任が問われるべきです。

具体的には、原発や核燃料の残存簿価（減価償却が済んでいない部分）と廃炉引当金に相当する貸付債権を放棄させるべきです。さらに、国のエネルギー予算を組み替え、国の責任で福島第一原発の廃炉を行うべきなのです。

2つ目は、公的資金の投入です。原発を所有する電力会社に、原発を廃炉にした時に発生する特別損失分の穴埋めをさせなければいけません。それができないなら、当面、国から公的資金を注入する形で資金援助を受けなければなりません。具体的には、電力会社に、原子力施設の減価償却不足、核燃料の減価償却不足、廃炉引当金の不足分に当たる新株を発行させます。それを国が引き受ける形で、公的資金を注入するのです。それによって電力会社は特別損失が発生することなしに、原発を切り離すことができます。

つまり、国が電力会社の新しい株主となって、発電部門と送電部門の所有権を明確に分離し、原発はいったん「国有化」するのです。そして、電力各社から原発の残存簿価（減価償却不足）分の金額と廃炉引当金をつけて、実質「破綻」している日本原子力発電[1]に、全国の原発を移します。日本原電は、電力各社の原発事業を継承するとともに、廃炉事業を担当するのです。

公的資金を投入することには、メリットがあります。政府が最大の株主ですから、発送電分離などの電力改革を主導できます。電力会社の経営状況に関係なく原発の安全基準を設定できますし、安全性を確保するために必要なコストを勘案して、どの原発を優先的に廃炉にするか、冷静に判断できます。不良資産化している原発を、電力会社から取り除けば、経営は改善されますし、融資している銀行が抱えている不良債権の処理も進みます。そして国は購入した電力会社の株式を徐々に売却して、公的資金の回収を図りつつ、再民営化していきます。そこで必要となる費用はすべて国民の税金で賄われることになりますが、電力会社を完全に国有化した場合と比べて、それより少ない金額で済ませられるのです。

3つ目は、電力会社で働く従業員の雇用の確保です。現在、電力各社には2015年度で計12万5000人以上の従業員が働いています。関連会社もあります。地域への影響も少なくありません。原発をすべて廃炉にするからといって、従業員を全員解雇するわけにはいきません。廃炉作業のための人員の確保、新しい送電網の構築、再生可能エネルギー事業への異動など、できるだけ雇用を確保していくことが大切です。

こうした改革を進めた上で、再生可能エネルギー由来の電力を、小さな電力会社が各地で作り出し、これを優先的に買い取る制度を整備していけば、日本も「原発ガラパゴス」状態から脱することができるはずです。

（金子勝）

1――1957年に設立された原子力発電専業会社。現在、東海第二原発（茨城県）と敦賀原発（福井県）を保有している

2 「ご当地エネルギー」で日本を変える

全国に広がる「ご当地エネルギー」

エネルギーを作るのは、これまでは電力会社を中心とする大企業でした。ところが、近年、とくに固定価格買取制度（ＦＩＴ法）を導入した２０１２年以後、地域の中で発電事業やエネルギー事業に取り組む人たちが増えてきました。小規模・地域分散型のエネルギーシステムに取り組む「ご当地電力」、あるいは「ご当地エネルギー」と呼ばれるものです。

現在、日本全国におよそ２５０の「ご当地エネルギー」があります（図２―１）。私もこの取り組みに関わっていますが、20年前から大規模な風力発電を始めている「北海道グリーンファンド」から市民団体による小さな取り組みまで、実にさまざまな形で広がっています。あその多くは、２０１１年の東日本大震災と福島第一原発事故の後に設立されたものです。あの未曾有の原発事故を目の当たりにして、多くの人々が原発やエネルギー問題をおそらく初めて自分ごととして捉えたこと、ちょうどそのタイミングで再生可能エネルギー発電の固定価格買取制度（ＦＩＴ法）が法制化されことが大きな要因だと思われます。

図2−1　日本各地に広がる「ご当地エネルギー」

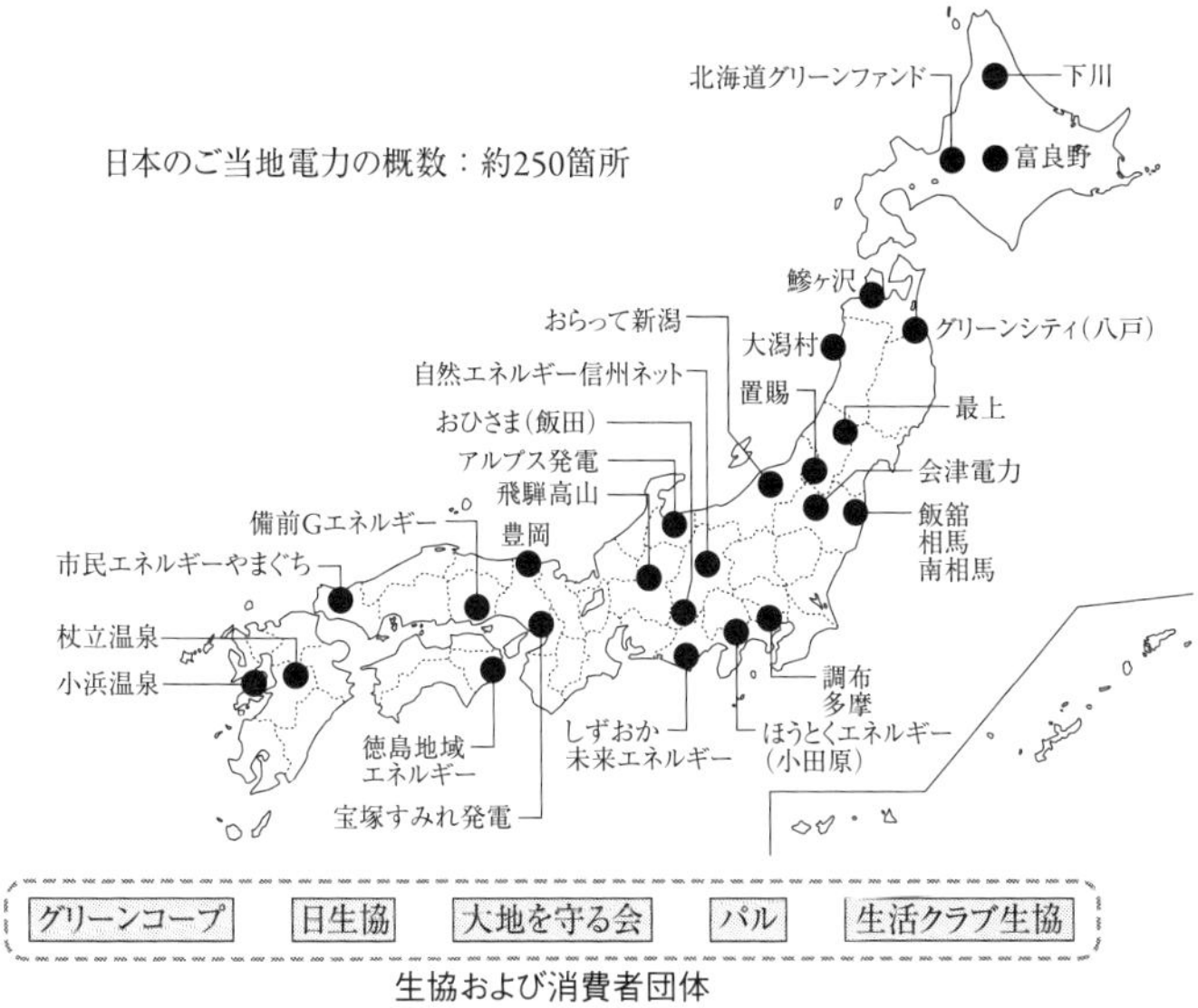

海外ではこうした地域の人々が自ら取り組む再生可能エネルギー事業は「コミュニティパワー」と言われています。世界風力エネルギー協会（WWEA）が2010年に「コミュニティパワー3原則」をまとめました。この原則を定める過程で、私たち環境エネルギー政策研究所（ISEP）も検討やレビューに加わりました。この「3原則」とは、次のようなものです。

・**第1原則**　地域の主要な関係者が、その再生可能エネルギー事業の大半もしくは、すべてを所有している。

・**第2原則**　地域コミュニティは、

その再生可能エネルギー事業の意思決定にあたって過半数以上の投票権を持っている。
・**第3原則**　その再生可能エネルギー事業からの社会的・経済的な便益のほとんど、またはすべてが地域コミュニティに分配される。

このうち2つ以上の原則を満たす再生可能エネルギー事業を、コミュニティパワーと呼びます。

第1原則の「所有」（オーナーシップ）では、地域コミュニティでその再生可能エネルギー事業を所有することができればベストですが、必ずしも地域コミュニティの全員が株主になるということではありません。もう少し幅広く、「当事者意識」という意味で緩やかに捉えていいでしょう。たとえば、北海道浜頓別町《はまとんべつちょう》に作られた日本初の市民風車（発電量1000kW）を、地元の小学生たちが「『はまかぜ』ちゃん」と名づけたことで、町の人たちが親しみを持ち、「当事者意識」を抱くことができました。

第2原則は、地域に開かれ、さまざまな年齢や職業の人たちが参加して意思決定できる仕組みがあるということです。自分たちの地域に自分たちの発電所を作るなら、地域のみんなが大切にしている景観や自然を壊すことはないでしょう。デンマークのコペンハーゲン市民が協同で洋上風車を作った時に、市民による話し合いのなかで、次のような話が出たそうです。かつて隣国スウェーデンと争ったときの戦跡が海峡の真ん中に遺されているが、これは将来にわたるお互いの平和の誓いとして遺しているものだ。それと同じように、今、洋上風車を建てることで自然と景観を少し変えることになったとしても、自分たちの世代が将来世代のために行動を始めた証として、未来から振り返ったときの「未来への遺跡」としてここに建てる、と。

第3原則は、経済的な便益はもちろんですが、それにとどまりません。再生可能エネルギー100%を実現したデンマークのサムソ島の場合は、自分たち自身が風力協同組合などに出資して目標を成し遂げたという「達成感」があります。北海道の「『はまかぜ』ちゃん」の例では、日本で初めての市民風車を創り上げたという「誇り」を共有できました。つまり、第3原則における「便益」は、経済的なものだけでなく、地域の人たちにとっての、社会的便益をも意味しているのです。

ところで、国内外の風力協同組合の風車を訪ねると必ず出る話ですが、目の前の風車をよそ者が立てていたなら目ざわりでうるさく感じていたかもしれないが、みんなで協力して建てた風車は、美しく見えるし、音も心地よく聞こえる。貯金箱にお金が貯まる音かもしれないが、と。半分冗談ですが、そこに本質があると思います。

2014年5月には、全国各地のエネルギー会社のネットワークとして「全国ご当地エネルギー協会」が設立されました。今やエネルギーは、誰でもが自分たちでつくり、まかなえる時代がやってきたのです。

日本初、市民出資の市民風車――北海道浜頓別町

北海道北部のオホーツク海に面した浜頓別町で、2001年に日本初の市民風車「『はまかぜ』ちゃん」が誕生しました。「生活クラブ生活協同組合・北海道」（北海道生活クラブ生協）が立ち上げた、NPO法人「北海道グリーンファンド」が設立したものです。

北海道生活クラブ生協は、道内でも有数のエコロジー系消費者団体で、原発反対運動にも積極的に取り組んでいました。北海道電力（北電）の泊《とまり》原発に反対する住民投票を行うための直接請求署名を、さまざまな市民運動・環境NGOなどと連携して90万人分集め、泊原発が止まるかもしれないというあと一歩のところまでこぎ着けたこともあります。

一方で、「原発や化石燃料に頼るのではなく、再生可能エネルギーをつくりたい」「自分たちで電気をつくりたい」と考えていました。原発をめぐっては北電と対立関係にありましたが、再生可能エネルギーに関しては協力関係を築いていました。東京や関西と違って北海道はコミュニティの規模が比較的小さく、お互いに顔の見える関係があり、北海道特有の「おおらかな政治的空気」があることが幸いしました。片方の手で殴り合いながら、もう片方の手で握手するといった関係が生まれていたのです。

北海道生活クラブ生協には共同購入という仕組みがあり、組合員はこの仕組みを利用して灯油などを調達していました。「北海道グリーンファンド」の発想の出発点には、実はこの共同購入の仕組みがあったのです。灯油が可能なら電気でもできるのではと、電気の共同購入を始めたのです。その仕組みは、いたってシンプルでありながら、画期的なものでした。以下そのポイントを列挙します。

・組合員の全員が参加するのではなく、手を挙げた人だけが参加する。
・生活クラブ生協は北海道グリーンファンドという団体を設立し、参加者の電気料金を徴収し、北電に支払う。
・電気料金は5パーセント多めにもらい、その分をファンドとして積み立てて、再生可能エネルギーをつくるための基金とする。

共同購入には1000人ほどが参加し、月々の積み重ねで約1000万円が集まりました。このお金を原資にして、もう一回り大きな事業をしようと始められたのが、市民風車だったのです。ちょうど私も、デンマークの風力協同組合のようなものを日本で実現させたいと考えていました。

北海道グリーンファンドの理事長・鈴木亨さんと協力して、市民風車研究会を立ち上げて呼びかけたところ、弁護士や税理士、金融機関、風力発電事業者の方たちが手弁当で力を貸してくれました。そして、市民団体が賛同する多くの人たちから億単位の資金を集めて、風力発電のために出資する仕組みをつくることができたのです。200以上の個人・団体から、あっという間に1億6000万円の資金を集めることができました。当初は融資を打診しても、けんもほろろだった北洋銀行（当時）も、出資が集まるのを見て4000万円を融資してくれました。

こうして2001年、総計2億円をかけて、日本初の市民風車「『はまかぜ』ちゃん」が生まれたのです。1000kWの大型風車です。採算は取れていて、毎年約3％の配当金を出すことができ、2018年には計画通りに配当と元本を戻し終えました。いま振り返ると微笑ましいエピソードですが、ある主婦の方が「泊原発を止めることができるなら」との思いから、内緒で貯めていたへソクリを寄付と誤解して振り込まれるということもありましたが、その方にもきちんと配当を乗せてお返しししています。

「『はまかぜ』ちゃん」の成功が大きなきっかけとなって、市民風車は各地に広がっていきました。青森、秋田、茨城、千葉などで現在、14基が稼働しています（地図・「各地に広がる市民風車」…自然エネルギー市民ファンドのWebサイトより）。

市民・NPO・企業・行政の協働——長野県飯田市

北海道グリーンファンドで培われた知見・経験・仕組みを生かし、さらにデンマークの「地域環境エネルギー事務所」を参考に進められたのが、長野県飯田市での市民出資の太陽光発電「おひさま進歩エネルギー」です。

飯田市から、私たちISEPにご相談をいただいたことから、このプロジェクトとの関わりが始まりました。環境省が2004年度から各自治体に公募していた「平成のまほろば事業」（環境と経済の好循環のまちモデル事業）の企画を一緒に考えてほしいというのです。

そもそも、環境省が立ち上げたこの事業のアイデアがデンマーク由来でした。前々年の2002年に南アフリカのヨハネスブルグで開かれた地球サミットに出席することになった環境省の審議官から、デンマークの取り組み、とくに「地域環境エネルギー事務所」を視察したいという依頼が、私に寄せられたのです。そこで、サムソ島などデンマークのいくつかの「地域環境エネルギー事務所」を紹介するとともに、その歴史的な背景や役割などをレクチャーしました。それがきっかけでした。

「地域環境エネルギー事務所」の由来は、1970年代の原発論争の時代に遡ります。デンマーク全土で計15カ所の原発建設が計画されたのを受けて、建設予定地となった各地に学習サークルが立ち上げられたのが出発点でした。その後、原発建設計画は取りやめになりましたが、この学習サークルそのものは、地域と環境とエネルギーの未来について学習し、そこで得た知見を市民向けに普及・啓発し、市民参加を促し、再生可能エネルギーを事業化するための風力協同組合を立ち上げ、協働と実践を進める際の中核として機能してきました。

その後、地域に軸足をおいたこうした取り組みの有効性に注目した欧州委員会が欧州全域に広げてゆき、今日では400カ所以上に広がっています。その立ち上げの際に、欧州委員会が必要な資金の3分の1を補助し、各国政府または自治体が3分の1、残り3分の1を自己資金として、3年間にわたる立ち上げ期間を設けました。環境省の「平成のまほろば事業」が3分の2の補助を3年間行うという枠組みは、ここにヒントを得ています。

ところで、飯田市から企画立案の相談を受けた私たちは、この補助金の由来を知っていますから、「3分の2を3年間」という手厚い補助金を機械設備費への補助金として考えてはダメだと考えました。3年間という期間と補助金を使いながら、デンマークにならって「日本版の地域環境エネルギー事務所」を飯田市に立ち上げて、再生可能エネルギーの推進拠点をつくることを目標にしました。モノや設備を作ることより、地域エネルギー事業の継続性とそれを支える人とチームの方が重要と考えたのです。

事業としては、公民館、幼稚園といった公共施設などの屋根に太陽光発電設備を設けて売電を行うほか、地域の施設を対象にした省エネルギーサービスを行うという企画を飯田市とともに環境省に提案し、初年度10件のうちの一つに採択されました。

「何を作るか」というハードよりも、事業の継続性に注目し、とりわけ「中心となる人」が重要だと考えた私たちは、地域コミュニティの核となるパートナーを探そうと、いろいろな方に相談したところ、まちづくりのNPO法人「南信州おひさま進歩」に担ってもらえることになりました。

まだFIT法の影も形もなかった頃でしたから、幼稚園や公民館など公共施設への太陽光発電設備の設置から、電気料金の支払い、公共施設への省エネ設備の設置に至るまで、飯田市からの全面的な支援が得られなければ、立ち往生していたと思います。

補助金以外の資金については、長野県からの出資のほか、小口の市民出資を全国に呼びかけることで、主な事業費をまかなう計画でしたが、融資も必要でした。融資については、当時、飯田市の市長に就任したばかりの牧野光朗《みつお》さんの計らいで、飯田信用金庫など、地域金融機関からの協力を得ることができました。政府系金融機関で働いた経験をもち、ドイツに駐在していたこともある牧野市長は、金融の重要性だけでなく、地域を活性化する上で再生可能エネルギーの普及が重要な役割を果たすことを理解しておられました。

このように、地域金融機関からの融資や地域の方たちからの市民出資金で太陽光発電設備を購入し、飯田市の幼稚園や保育園、公民館の屋根に設置させてもらい、発電した電気を売ってその利益を配当金として出資者に還元するというのが、基本モデルでした。北海道の市民風車「『はまかぜ』ちゃん」の仕組みを生かしたものでした。

「南信州おひさま進歩」を母体に、「おひさま進歩エネルギー有限会社」（後に株式会社。2007年から「おひさまエネルギーファンド株式会社」も併設）を設立し、翌2005年から市民ファンドを公募しました。わずか1カ月の間で、476人から約2億円の資金が集まりました。約200kWの出力で事業を始め、その後、メガソーラーも導入するなどして、2017年3月現在で太陽光発電は357カ所、設置容量合計7020・57kWの発電所になっています。こうして飯田市は、日本の中でも太陽光発電がずば抜けて多い地域になりました。

さらに2019年には、「飯田まちづくり電力」という電気を売る会社も設立されました。飯田市とパートナーシップを結び、飯田信用金庫が融資をしています。お金も電気も地産地消が実現しつつあるのです。再生可能エネルギーの事業を通じて、地域の人たちの関係性も強まりました。

ちなみに、2004年とその翌年に、環境省「平成のまほろば事業」で採択された20件のうち、今なお継続して活動しているのは、このおひさま進歩エネルギー株式会社と、05年に私たちが立ち上げの支援をした「備前グリーンエネルギー株式会社」（岡山県備前市）の2つだけです。デンマークの地域環境エネルギー事務所を参考にした「モノや設備よりも事業と人とチーム」という基本コンセプトがいかに重要かが分かると思います。

3・11後に地域のエネルギー自立を求めて——会津、小田原、新潟

2011年の東日本大震災で引き起こされた福島第一原発事故で被害を受けた福島県から生まれた市民電力会社が、「会津電力」です。2013年に設立されました。この市民電力会社を旗揚げした会長の佐藤彌右衛門《やうえもん》さんは、創業1790（寛政2）年の大和川《やまとがわ》酒造店（福島県喜多方市）の9代目当主です。日本酒の鑑評会で毎年のように金賞を受賞している、福島を代表する酒蔵の一つです。

佐藤さんは、震災前から飯舘《いいたて》村の「までい大使」を引き受けるなど、県内各地の支援に奔走されていました。震災直後、放射能レベルが高かった福島県の浜通りや中通りから会津に緊急避難してきた人たちが、喜多方の街中にある佐藤さんの酒蔵に集まって、いろいろなことが話し合われたそうです。そうした人たちの怒りと想いを紡ぎあげて、会津電力を立ち上げることになりました。

「福島は国策に沿って原発をつくられ、押しつけられてきた挙げ句に、故郷を追われる大事故を起こされてしまった。それに対しては、福島の誰しもが大きな怒りを抱えているが、その怒りを怒りのまま返すのではなく、再生可能エネルギーで自立した福島をつくることで打

ち返したい。喜多方はかつて自由民権運動が盛んでした。今回の再生可能エネルギーも現代の自由民権運動なのです」と佐藤さんは言います。

佐藤さんが初めて私のところを訪ねてこられたのは、震災から1年後の夏でした。暑い日で、汗をかきながら、熱い想いをとつとつと語っておられたのをよく覚えています。実は私は２００１年に佐藤栄佐久福島県知事（当時）から依頼されて、福島県のエネルギー政策の委員をずっと務めていました。３・11直後に緊急で開かれた委員会で、「福島県は再生可能エネルギー１００％の目標を立てるべきだ」と提案してもいました。原発事故の爪痕がまだ生々しく残っていた福島県では、県議会も県庁内でもこの目標に合意し、翌２０１２年春には正式に決定されていました。佐藤さんがわざわざ訪ねてこられたのは、こうした背景があったからでした。

こうして、佐藤さんが率いる会津電力の立ち上げをお手伝いすることになりました。初めて会津を訪問したとき、長州出身の私は少し緊張しましたが、佐藤さんをはじめ、会津電力を今も支える多くの方に温かく迎えていただきました。

こうして会津電力は立ち上がり、「原発の暴走を許してしまったこの責任を次世代負担としないようにするために、福島県内の電力エネルギー需要を再生可能なエネルギーのみでまかなうことを可能にする体制を作り上げることを理念とし」て、電力の自給自足、さらには余剰電力の売電によって収益を上げることを目指しています。

設立費用は、地元金融機関の融資や補助金のほか、全国の市民から寄せられた計1億円の出資金でまかないました。会津地方初のメガソーラーを2014年から稼働させ、さらに小規模分散型の太陽光発電所を設けていきました。2020年2月現在、太陽光発電所87カ所、小水力発電所1カ所を設けており、その設置容量は6089kW、一般家庭約1832世帯の電力を作っています。

じつは佐藤さんは、誰もが知る喜多方ラーメンを全国的に有名にし、観光客が押し寄せるようになった「ラーメンによるまちづくり」の仕掛け人でもありました。その人の、新たな挑戦が「エネルギーによるまちづくり」だったのです。

会津電力が「民主導」であるのに対し、「官民共働」で進められたのが、神奈川県小田原市の「ほうとくエネルギー株式会社」です。ほうとくエネルギーも、3・11後に生まれた市民発電所です。計画停電や地元・足柄茶の放射能汚染など原発事故の影響を受けて、加藤憲一市長（当時）が、地域のエネルギー自立を市の重要施策として位置づけました。そして、私に行政戦略アドバイザーを依頼してこられたのです。

2011年7月、第1回アドバイザー会議と称して、小田原市の駅ビルのホールで、多くの市民の目の前で、市長と私との1対1のやり取りが行われました。さまざまな質疑応答が重ねられる中で、最後に「小田原電力を立ち上げませんか?」と私から提案し、市長も「ぜひ!」と応じられたのです。

その後、私がお手伝いするかたちで、長野県飯田市の「おひさま進歩エネルギー株式会社」を参考に、太陽光発電事業を進めました。小田原商工会議所が積極的に協力してくれ、地元企業38社が出資して、資本金5800万円で、2012年に「ほうとくエネルギー株式会社」が設立されました。社名は、小田原出身である二宮尊徳の報徳思想にちなんで付けられたものです。

小田原市内の公共施設の屋根に太陽光パネルを設置し、山林内にある公共残土置き場を利用してメガソーラーを建設しました。総額4億円近い建設資金は、地元金融機関の融資と、市民からの出資によるものです。

2014年に新潟で立ち上がった「おらってにいがた市民エネルギー協議会」(通称おらって)は、官民協働のパートナシップで立ち上がったご当地エネルギーです。その代表を務める佐々木寛・新潟国際情報大学教授から、「にいがた市民大学」での講義を依頼されたのが、「おらって」が生まれるきっかけでした。2013年12月のことです。ほぼ同時期に、新潟市役所からも「飯田市のおひさまのような市民ファンドを作りたい」という相談がありました。

佐々木教授が主宰する「にいがた市民大学」には、老若男女さまざまな人たちが参加しており、中には巻町《まきまち》原発住民投票に関わった人たちや、3・11後の原発県民投票の直接請求で中心になった人たちもいました。そこで共有されていたのは、反原発という大きな課題に取り組んだ、「その次」が見えないという感覚でした。自分たちの手で「ご当地エネルギー」を創り出そうという機運が高まっていたと思います。そこで、ちょうど新潟市役所から相談を受けていることをお話ししました。こうして新潟市役所と、問題意識をもつ市民とが結びつき、「ご当地エネルギー」を生み出す歯車が回り始めたのです。

とはいえ、新潟市のほうは、すぐにでも市民ファンドを創りたいと考えていましたし、市民の皆さんのほうは、再生可能エネルギー事業についての知識も関心もバラバラでした。そこでまず、話し合いを重ねながら、共通のビジョンを創り上げ、担い手となる人を増やしていくことの大切さを説明し、理解してもらうことから始めました。その上で、2014年から月1回のペースで学習会を開いていったのです。そこでは佐々木教授が、とても大切な役割を果たしてくれました。政治学者であると同時に、地域の中で丁寧に合意を形成してきた実績とそのお人柄から、行政からも市民からも信頼されていたのです。

特筆すべきは、2014年9月に、新潟県内からの参加者のほか、全国各地から「ご当地エネルギー」のリーダーたちが参加して、朝から夕方まで「全員参加のワークショップ」を行い、新潟における地域エネルギーのビジョンを一気に創り上げたことです。新潟弁で「私たち」を意味する「おらって」を団体名にすることもその日に決まりました。その日の夜の交流会にはほとんどの人が参加して、飲み交わし語り合って、いつまでも熱気の醒めない夜となりました。

その数日後、太陽光発電の系統連系の受付を九州電力が停止するという「九電ショック」が起き、新潟をカバーする東北電力も受付を停止しました。このため「おらって」も急遽、方針を転換して事業化を急ぐことにしました。その時期でも受付が可能な小規模分散型の太陽光発電に狙いを絞り、新潟市の協力を得て、市が保有する土地や公共施設の屋根を中心に、分散型の小規模太陽光発電を設置する事業計画を進めることにしました。そして、2014年末には「おらってにいがた市民エネルギー協議会」を発足させ、翌年には県内計40カ所の太陽光発電所（合計約2200kW）で太陽光発電事業を行う「おらって市民エネルギー株式会社」を、協議会の子会社として立ち上げたのです。

今でも「おらって」は月一回のペースで定例会を開き、これには多くの市民や地域の企業、そして新潟市役所の人が参加しています。そして、ときには太陽光発電所の草刈りをしながら、幅広く活動を展開しています。佐々木教授のオープンな人柄と、話し合いを大切にする姿勢もあって、こうした活動が地域に根づいたのだと思います。

その他、私たちが立ち上げのお手伝いをした「ご当地エネルギー」としては、NPO主導で太陽光発電事業を実現させた「しずおか未来エネルギー株式会社」（静岡県静岡市）、北アルプス・立山連峰の水源を生かした小水力発電事業の「株式会社アルプス発電」（富山県滑川市）などがあり、「ご当地エネルギー」は確実に広がっています。

「営農ソーラー」という希望

ドイツやデンマークでは、地域エネルギーの担い手の中心は農家です。というのも、自然の豊かな地域で長い間、広大な土地を管理してきたからです。そして、「農産物もエネルギーも、太陽と土地から生まれる」という基本原理から考えても、農業と再生可能エネルギーはとても相性がよい組み合わせです。バイオマスエネルギーでは、そこに循環が加わります。太陽で作物を育て、その作物から食料ができ、その食料の廃棄物からバイオマスエネルギーと養分が得られ、それが作物の栽培にも使われ、再び太陽で作物が生産される……と循環していきます。

農地は日照が良い上に整地されているため、太陽光発電にはうってつけの土地です。ただし、国内の食料生産力を維持するには、農地の保全が欠かせません。そのため日本では、農地を農業のために用いるのか、太陽光発電のために用いるのかで、対立がありました。その解消を目指して政府は、「農山漁村再生可能エネルギー法」（農林漁業の健全な発展と調和のとれた再生可能エネルギー電気の発電の促進に関する法律、２０１4年5月施行）を整備しましたが、必ずしも十分とはいえません。

そこで注目されたのが、長島彬さんが発案し実践してきた「ソーラーシェアリング」です。「太陽」（ソーラー）を「分かち合う」（シェアリング）という意味です。長島さん自身は、無限の太陽エネルギーと限られた土地とを分かち合うために幅広くこれを用いるという考えですが、日本では耕作しながらその農地を太陽光発電に利用するという意味で使われています。つまり、「営農型太陽光発電」（営農ソーラー）です。農地に太陽光パネルを設置すると、作物が育たないのではないかと思われるかもしれません。たしかに農作物の生長には太陽光が必要です。しかしそれも程度問題なのです。適切な量の太陽光があれば、光合成には十分なので、不要な分を太陽光発電に回せばいい。これが、ソーラーシェアリングの基本的な考え方です。具体的には、田畑の上に3分の1程度の面積の太陽光発電パネルを設置し、その下で耕作をします。

たとえば、茶畑の上に太陽光パネルを立てると、それが明け方の放射冷却を防止するので、防霜《ぼうそう》ファンがなくても霜を防ぐことができますし、夏の暑い時期の茶枯れも防げます。

通常、抹茶の栽培では、収穫前の一カ月間は、寒冷紗《かんれいしゃ》という黒い布をかけて日光を遮断します。こうすることで茶葉は薄く柔らかくなり、渋みが少なく、うまみの多い美味しいお茶になるのです。ですが、寒冷紗をかける作業はなかなかに重労働であることに加え、葉をこすって傷めてしまうこともあります。もし営農ソーラーの架台がそこにあれば、寒冷紗をかぶせる際の架台としても役立ちます。実際に、静岡県菊川市で営農ソーラーを導入して有機抹茶の生産を始めた服部吉明さん（株式会社流通サービス代表取締役）は、営農ソーラーの架台を活用し、全自動で抹茶畑が寒冷紗で覆われる装置まで付けています。

コーヒーの栽培にも役立ちます。コーヒーの木は日陰を必要とするため、高木の下で育てるのですが、お互いに水や土の栄養分を取り合ってしまうという弊害があります。ソーラーの下なら、そういう心配もなく、日陰を確保できるのです。

この営農ソーラーが近年、各地で急速に増えてきました（図2―2）。2019年3月現在、計1992カ所で行われています。日本には今、約450万ヘクタールの農地がありますが、そのうち1割近い42万ヘクタールが耕作放棄地となっています。この耕作放棄地を含めて全体のおよそ1割の農地で太陽光発電を行うだけで、全国で必要とされる電力を十分にカバー

図2－2　拡大する日本の営農ソーラー

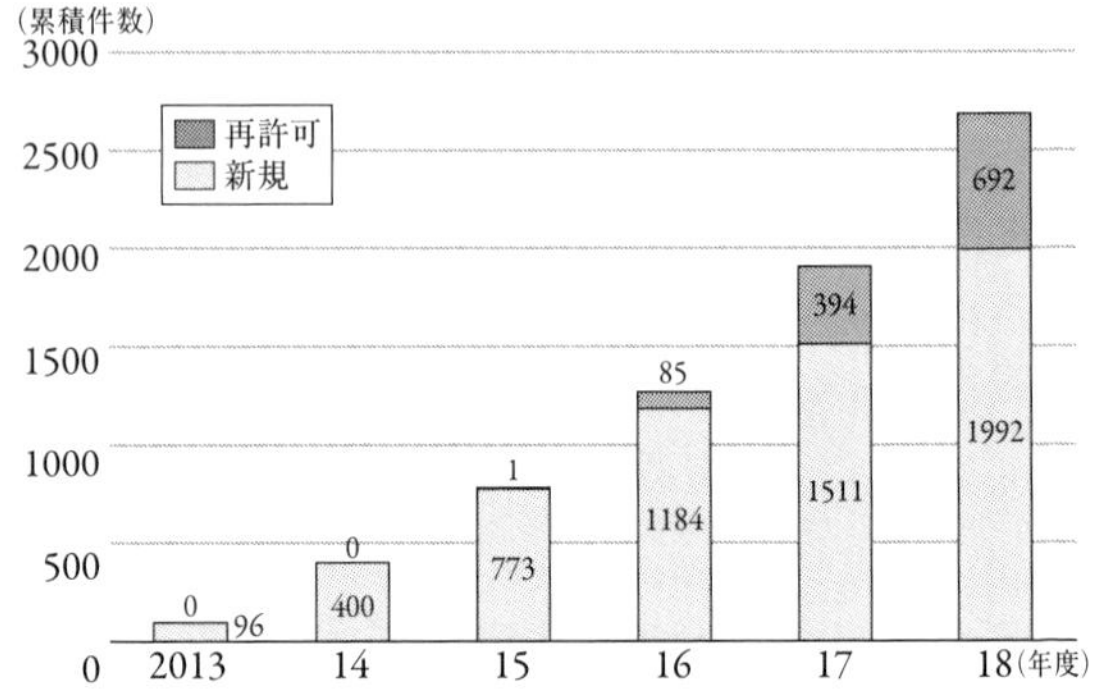

注：数値は営農型ソーラーの累積件数.
出所：農林水産省のデータをもとにISEP作成.

できる計算になります。

営農ソーラーによって、農家の所得も安定します。再生可能エネルギーからの収入がベースとなり、作物の生産による直接収入と、さまざまな農作物の加工による高付加価値化という収入の多元化・多様化が、職業としての農業を安定させます。さらに、オーガニックカフェや地産地消レストラン、地域でのアートやツーリズムともつながれば、地域にさまざまな職を新たにつくり、一人ひとりがさまざまな能力を発揮できる可能性を生み出します。

もともと「百姓」とは、「たくさんの姓を持つ人」という意味です。一人でいくつもの職業や役割を兼ねていたことに由来する呼称です。人々は田畑を耕しながら、林業を担い、ワラジを編み、農機具を創り、美容師や僧侶、医師、教師も兼ねていたといいます。

営農ソーラーをきっかけに、今、地域に生まれつつあるのは、まさに「現代の百姓」だといえるでしょう。農家であると同時に「発電所長」であり、と同時にカフェ店主であったり、農家民宿のオヤジであったり、ＩＴを使った商店主であったり、さらにはブロガーや作家やデザイナーであったりする人たちが生まれているのです。再生可能エネルギーから、地域で自立的な生産活動をしながら創造的な暮らしを営む「現代の百姓」というライフスタイルが編み出されているわけです。新型コロナウィルスによってテレワークが一気に広がった時代にふさわしい仕事と暮らしのあり方ではないでしょうか。

日本で生まれた営農ソーラーは、海外にも普及しつつあります。日本と同じように太陽光発電のための土地利用が課題となっている台湾、韓国から日本に視察に来る人は少なくありません。国を挙げて営農ソーラーを広げようとしているのです。あの広大な中国でも、農業×エネルギーの取り組みが広がっており、ゴビ砂漠に７００ＭＷという、おそらく世界最大の営農ソーラーが出来上がっています。ドイツ、イタリア、フランスなど欧州各国やアメリカなどでも関心が持たれ、導入例も増えつつあります。

実は営農ソーラーは、途上国にもっとも適している技術だと私は考えています。もともと日照が過多な地域や乾燥地などが多いため、営農ソーラーでクリーンエネルギーを生み出し、農業とエネルギーの両方で雇用と経済を生み出し、食料を生み出し、その電気で灌漑をすることもできます。持続可能な開発目標（ＳＤＧｓ）[2]の17の目標のうち、７つを改善することができるのです。

私たちは２０１８年にアフリカのマリ共和国の首都バマコで、現地のパートナーであるマリフォルケセンターと共催で第2回世界コミュニティパワー会議を開催しました。その会議の中で、営農ソーラーの特別セッションを設けたところ、大入り満員の盛況で、マリのエネルギー大臣は「マリ国内のすべての農地を営農ソーラーにしたい」と期待したほどでした。会議後に視察したバマコ郊外のある村では、33ｋＷの太陽光発電で約４００軒に電力を供給するマイクログリッドが整備されていました。これを１００ｋＷに増設する予定ですが、マリフォルケセンターはそれを営農ソーラーにすることをその場で決めました。完成すればマリ初、おそらくアフリカで初めての営農ソーラーになるという、記念碑的なプロジェクトとなることでしょう。

営農ソーラーは、これからの太陽光発電を世界に広げる牽引者になるかもしれません。

（飯田哲也）

2――ＳＤＧｓとは「持続可能な開発目標」の略称で、２０１５年9月の国連サミットで採択された。２０３０年までに持続可能で、よりよい世界を目指す17の国際目標。営農ソーラーはその17の目標のうち、①貧困、②飢餓、③クリーンエネルギー、④雇用と経済、⑤気候変動、⑥陸上の資源、⑦平和――の7つを同時に改善することができます。（飯田）

第3章

来るべき社会へ

金子勝

「平成」時代が始まった1989年はバブルの頂点にありました。2つの石油ショックを経た後の80年代、多くの先進諸国はスタグフレーション（インフレ下での経済停滞）に苦しんでいました。こうした中で、いち早く立ち直った日本経済は、「ジャパン・アズ・ナンバーワン」（エズラ・ヴォーゲル）だと褒めそやされていたのです。

ところが、ほどなくバブルは崩壊し、不良債権の処理に失敗したため、日本経済は「失われた10年」という長期停滞にはまり込んでいきます。97年には北海道拓殖銀行、山一證券などが経営破綻する金融危機が発生し、この時を境にして、賃金も、所得も、消費も、生産年齢人口（15～64歳の働き手の人口）も、そしてGDPも落ち込み、あるいは停滞していきました。この年に日本経済の構造は一変し、「失われた10年」が「失われた20年」になったのです。

2011年の福島第一原発事故でも、東京電力の当時の経営陣の責任がきちんと問われることはありませんでした。こうして、東電や原発メーカーなどゾンビ化する企業群を、財政金融政策によって、ずるずると救済してきたのです。こうした中で、「失われた20年」は「失われた30年」になっていきました。

戦後の日本は、「貿易立国」として高度成長を成し遂げましたが、リーマン・ショック以降、貿易赤字が常態化しています。産業の国際競争力もどんどん低下していきました。たとえば日本の半導体は、平成が始まった1989年の段階では、世界の生産シェアの50パーセント強を占めていました。しかし、後述するように日米貿易摩擦の過程で決まった日米半導体協定（1986年、91年）を契機にして急速に地位が低下し、今や見る影もありません。

その行き着く先が、「アベノミクス」でした。安倍政権は、異次元の金融緩和、財政出動、規制緩和を中心とする成長戦略という「三本の矢」を掲げ、これを「アベノミクス」と称したのでした。知られているように、異次元の金融緩和は当初、二年で終わるはずでした。ところが、デフレ脱却はうまくいかず、七年以上も続いており、もはや〝出口のないネズミ講〟と化しています。

そもそも、アベノミクスのインフレターゲット論というのは、中央銀行が「2年で2パーセント」という物価目標を掲げ、大規模な金融緩和により大量のマネーを市場に流せば、物価が上がっていくと人々が期待して消費を増やしていく、というものでした。もし仮に多くの人が、物価が上がっていくと予想したとしても、人々の所得が上がらなければ、あらたに消費を増やすはずがありません。そのため、まず大企業や富裕層が潤って、その所得がトリクルダウンする（したたり落ちる）のだと言われたわけですが、結局、それは絵に描いた餅でしかありませんでした。

現実に起きたのは、企業の内部留保ばかりが積み上がり、人々の実質賃金は下がり続けて

図3－1　賃金の低下傾向

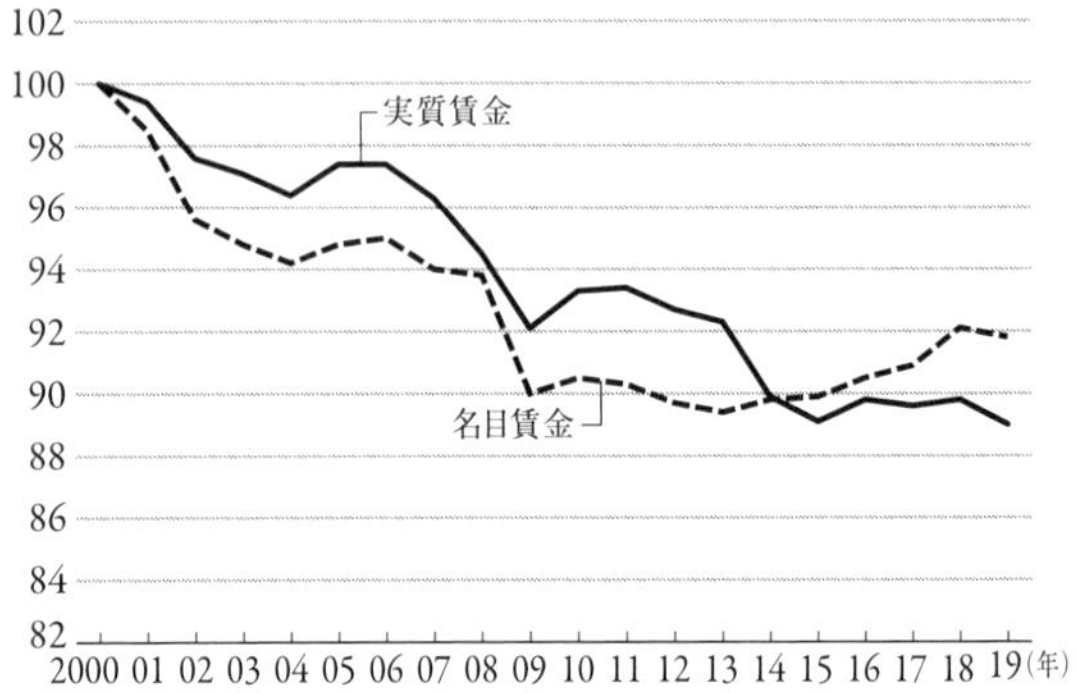

出所：出所：厚生労働省「毎月勤労統計調査」より作成

いくということです。

　１９９７年を１００とした場合の実質賃金指数で各国比較をしてみると、２０１６年までの19年間で先進7カ国のアメリカ、ドイツなどでも1割以上は上昇しているのに、日本だけが1割以上も下がっています（図３―１）。実質賃金がこうした状態では、国内消費が回復するわけがありません。経済は停滞し、賃下げと雇用破壊が進み、内需はいっそう細くなっていきました。産業技術の国際競争力を失いつつある企業はますます輸出に頼るようになって、円安と雇用破壊・賃下げがさらに進みます。それがますます内需を細くするので、財政金融政策に依存して何とかもたせていくという悪循環から逃れられなくなっています。

　そもそもバブルが崩壊して、不良債権処理に失敗して、産業衰退が一層進んだ事態を財政出動でカバーし、そうして膨れ上がった財政赤字を日銀の金融緩和でごまかす。そんなことでうまくいくわけがなかったのです。

「失われた30年」は、人々の暮らしを直撃しています。バブルが本格的に崩壊した1997年以降、フリーターなどの非正規雇用が増えていきました。今やその割合は4割近くに達しています。賃金が下落し、雇用が流動化するなかで核家族は分解し、「中流」「中間層」は解体して格差が拡大していきました。そして大都市への集中が進む一方で、地域は衰退するという、地域間格差も拡大していったのです。

この章ではまず、日本経済が「失われた30年」に至るまでの歴史的・構造的要因を探ります。その後、この危機から脱するには、再生可能エネルギーを軸にした産業構造の転換が必要であり、目指すべきは、分散革命ニューディールによる地域分散ネットワーク型の社会であることを示していきます。

1　苦境にあえぐ日本経済

情報通信をはじめとする先端産業の失墜

日本の経済成長がストップし、長期停滞から抜け出せずにいる最大の原因は、バブル崩壊後の産業衰退にあります。その背景には、無責任体制から生み出された「失われた30年」の間に研究開発のための投資額が減少し、アメリカや中国から大きく引き離されてしまったということがあります。その影響で、産業の国際競争力がどんどん低下していったのです。

１９９０年代の後半以降、スーパーコンピュータ、半導体、液晶・有機ＥＬ、バイオ医薬、太陽光電池、携帯音楽プレーヤー、スマートフォン（スマホ）、カーナビなど、世界有数のシェアを誇っていたものも、いまや見る影もありません。リチウムイオン電池ですら、もはや主導的な地位を失いつつあります。安倍政権の下で、軍事転用の証拠もなく実施された対韓輸出規制によって化学素材産業も地位を脅かされています。

問題の始まりは、１９８６年と91年の日米半導体協定にあります。

86年の日米半導体協定により、日本のメーカーは自社の半導体製品をダンピング禁止で「最低価格」以下で販売できなくなり、アメリカへの輸出が抑えられました。

半導体産業では規模の経済が働き、太陽光発電と同じように普及すればするほど性能が上がり、コストが下がっていきます。「技術学習効果」が大きいので、価格が下がるスピードも速いわけです。ところが日本の半導体産業は、そこを止められてしまったので、競争力を徐々に失っていきました。それにより、価格が「高値」で安定してしまい、技術開発などの企業努力も停滞していったのです。

それに追い打ちをかけたのが、91年の「新」協定です。日本市場における外国製半導体のシェアを20パーセント以上に引き上げるよう強いられたのです。

先述したように、日本の半導体は１９８９年の段階では世界シェアの半分を占めていました。ところが90年には50パーセントを切り、95年には35パーセント、２０００年には25パーセント、そして17年にはついに7パーセントまで落ち込んでいます。こうしてアメリカだけでなく、韓国や台湾の企業にどんどん追い抜かれていきました。

半導体産業は、「産業のコメ」とも呼ばれてきました。その衰退に伴って、１９９０年代後半には、スカラー型に転換したスーパーコンピュータでも遅れを取ることになりました。

それまで主流だったのは、データを一度にまとめて演算するベクトル型でした。それに対して、汎用プロセッサーを多数搭載し、データを分割して逐次的に並列処理していくスカラー型はコストパフォーマンスにも優れていたため、それまで主流だったベクトル型スーパーコンピュータに取って代わっていったのです。

こうした分野で遅れを取ったことが、クラウド・コンピューティングに対応したソフトやコンテンツを作り出す力の衰弱をも招くことになります。こうしていまや、アマゾン、グーグル、マイクロソフト、オラクルといった、クラウド・コンピューティングを提供する米国企業が世界シェアの上位を占め、それに対抗できるのは中国企業のアリババやバイドゥぐらいとなってしまったのです。

いまや日本は、先端産業である情報通信産業において決定的に取り残されています。その結果として、電機産業の国際競争力も衰退しています。ところが経産省を中心に政府は、アメリカの要求に譲歩すれば日本の産業は守れるという思考停止から、今なお抜け出せていません。

日米半導体協定の後、先端産業について政府が本格的な産業政策を展開することはタブー化し、「規制緩和」を掲げる「市場原理主義」が採用されるようになっていきました。すべてを市場に任せるという責任逃れに終始するようになったのです。たしかに市場は、価格を通じた一定の調整機能を持っています。しかし、規制を撤廃し、価格メカニズムに任せれば新しい産業が生まれていくなどというのは、根拠のないイデオロギーです。

実際、政府が打ち出した構造改革特区にしても、国家戦略特区にしても、新しい産業を生み出すことに成功していません。それどころか、「規制緩和」は利益政治の道具とされ、その行き着く先が加計学園の獣医学部新設問題だったのです。このようなプロセスをたどって、日本の電機産業はＩＴ革命に乗り遅れ、国際競争力を失っていったわけです。

こうした中で、かろうじて競争力を維持できているのが、自動車産業です。いまや自動車産業は、貿易黒字の七割を占めています。ところがそれも、雲行きが怪しくなってきました。

日本の自動車メーカーは、低公害・低燃費という環境技術に強みがあり、トヨタやホンダなど日本のハイブリッド車は世界シェアの9割近くを占めています。ところが、ヨーロッパ諸国や中国、インドなどは、ハイブリッド車では日本との競争に勝てないので、電気自動車（ＥＶ）へと軸足を移動させています。

たとえばイギリス政府は２０２０年2月に、ガソリン車とディーゼル車の国内での新規販売を禁じる時期を、これまでの計画から5年早め、２０３５年とする方針を明らかにしています。しかも、禁止対象の中にハイブリッド車を加えています。こうした政策はイギリスだけでなく、フランス、オランダ、ノルウェー、インドなどが打ち出しています。それによって、温暖化ガスを直接出さないＥＶを普及させようとしているわけです。

それに比べると、日本の自動車メーカーの出遅れ感は否めません。リチウム電池でも次第に競争力を失っています。たしかにトヨタにしても、プラグイン・ハイブリッド車（外部からの充電が可能なハイブリッド車）をつくっており、日産のリーフもあり、必ずしもＥＶの基本技術では劣ってはいないのです。しかしＥＶは、従来よりも部品数が大幅に少なくて済み、この点で自動運転に適していると言われています。この自動運転について、日本の自動車メーカーは出遅れているのです。

ポイントは、自動車がいつＥＶに切り替わるのか、にあります。ウォークマンからｉＰｏｄへ、固定電話から携帯電話へといったように、多数のユーザーを獲得すると、一気にそれが市場を席捲するということが起きます。自動車にも、こうした技術的特異点が訪れる可能性があるのです。

それで言えば今後、電気自動車になるのか、燃料電池車（ＦＣＶ）になるのかは、どちらが多くのユーザーを獲得するかに大きく左右されます。とくに水素ガスステーションは金属の腐食が進みやすいために建設費や維持費が高く、それに対してＥＶの急速充電スタンドは急速に普及しています。いくら日本の自動車メーカーが優れた燃料電池車を開発・販売したとしても、それだけで勝てるわけではないのです。市場の獲得に失敗すれば、自動車産業ですら、ガラパゴス化する危険性があります。そうなってしまったら、日本経済はほぼ完全に息の根が止まってしまうと言っても過言ではありません。

政府も今頃になって「ＡＩによる第四次産業革命」を言い出しましたが、マイクロソフト、グーグル、アマゾンといった世界的なＩＴ企業が存在するアメリカと違って、日本のＩＴ企業は著しく衰退しています。おまけに、マイナンバーといった一生涯１つの番号で、生体認証がなく、１つの番号にすべての情報を入れ、金銭の出し入れを可能にする時代遅れの仕組みを請け負うことでかろうじて生き残っているという、とんでもない存在になりさがっています。セキュリティも不十分なまま国民に強制加入させる危険性が高まっています。どのようにしてそれを立て直すのかという戦略もないまま、「ＡＩによる第四次産業革命」をいくら唱えても、絵に描いた餅でしかありません。

不良債権処理、3・11という2つの要因

ここまで述べてきたように、日本が長期停滞から抜け出せずにいる最大の原因は、産業の衰退にあります。産業の衰退の最初のきっかけは、先に述べたように日米貿易交渉の敗北による日米半導体協定です。次の転機になったのは、バブル崩壊後に不良債権処理に失敗したことです。

１９９０年代初め、アメリカでも不動産バブルが崩壊しましたが、ＲＴＣ（整理信託公社）を作り、土地バブルに踊った州法銀行やＳ＆Ｌ（不動産専門の貯蓄銀行）の不良債権を買い取って合併させて不良債権を処理しました。大手銀行は不良債権に貸倒引当金を積みました。この方式をとるなら、自己資本を調達できずに足りなくなれば、公的資金を注入するしかありません。

１９９０年代初頭にバブルが崩壊し、同じく金融危機に見舞われたスウェーデンやフィンランドではどうだったでしょうか。どちらも、大手銀行を中心とする金融機関が相次いで経営悪化に陥りましたが、このとき政府は銀行を国有化し、巨額の公的資金を投入して不良債権を一気に処理していきます。その上で再民営化したのです。

これにより経済はV字回復を果たしますが、と同時に、巨額の財政赤字を抱えることになってしまいます。当時、EUに加盟するには、財政赤字をGDPの3パーセントに抑えなければなりませんでした。このため財政赤字の削減を目指すこととなり、社会保障や福祉給付の一定額の削減がなされましたが、代わって医療や介護や教育など福祉分野の現物給付サービスを分権化して地域で雇用を生むようにしました。日本が不良債権処理に失敗し、また地方分権化が不徹底だったのとは好対照です。

それだけではありません。先端産業化を進めるための国家戦略を立てて、イノベーションに対する研究開発投資と教育投資を増加させたのです。こうして知識集約産業への移行が図られた結果、フィンランドにはノキアができ、スウェーデンにもエリクソンなどのIT産業が生まれ、デンマークには世界的な風力発電メーカーであるヴェスタス社が誕生します。北欧各国で、先端産業を育成するための、こうした取り組みが行われています。

ここで重要なのは、これらの国が産業戦略を立てて、新しい産業への投資や技術開発を国が支援する政策を打ち出したということです。こうしたアプローチは、主流派経済学においては非効率で失敗するとされ、規制緩和をし、市場に任せるのが正しいこととされています。しかし、イノベーションが新たに生まれ、産業構造が変化するような時期には、明らかに一定の政府の役割なしに産業は生まれません。

むしろ、ITや再生可能エネルギーといった新しい産業の場合、採算をとるのが難しい初期投資や、基盤となる技術開発を国が支援することが欠かせません。市場原理主義の国と言われるアメリカですら、コンピュータや半導体などでは、通商代表部（USTR）や国防総省高等研究計画局（DARPA）が重要な役割を果たしているのです。

スウェーデンやフィンランドと違って日本は、バブルが崩壊して巨額の不良債権が発生したにもかかわらず、銀行経営者も監督当局もごまかし続け、公的資金を小出しに投入し、ずるずると処理するというやり方を採りました。こうした延命策によって、本来倒産すべき企業がゾンビ企業化するというパターンは、今も続いています。産業の構造転換がどんどん遅れていき、長期停滞から抜け出せなくなってしまったのです。

日本経済が長期停滞から抜け出せなくなった要因として、最後に挙げておきたいのが、福島第一原発事故です。この事故の原因を辿っていくと、原子力ムラと自民党政治家が「安全神話」を垂れ流してきたことに行き着きます。「原子力ルネサンス」路線を打ち出した第1次安倍政権は、2006年12月に、津波や地震によって原発の炉心冷却機能が失われ、メルトダウンが生じる可能性を指摘された際に、「安全の確保に万全を期して」おり、全電源喪失はないとの答弁書を国会に提出しています。ところが2011年の福島第一原発事故では、全電源喪失が生じているのです。

福島第一原発事故を引き起こした日本は、本来なら、世界のエネルギー転換を牽引しなくてはいけない立場だったはずです。ところが、２０１１年の東日本大震災とともに起きた福島第一原発事故でも、東京電力の経営者、監督官庁、政治家のいずれも責任を取らず、14兆円もの無利子融資――もともとは国民の税金――を受けて、東京電力は生きながらえています。

第2次安倍政権は、原発事故の反省もなく、原発再稼働・原発輸出路線を推進し、本書第2章で指摘したように、東芝を経営危機に陥れてしまいました。原発輸出のためのウエスティングハウス買収によって経営に失敗した東芝は、不正会計で実質破綻していたのに、成長部門がないまま生き延びています。いまやゾンビ企業が跋扈しているのです。今なお、戦後の自民党政治が作り出した「原子力ムラ」という巨大な利権に固執し続け、世界で起きているエネルギー革命からどんどん取り残されようとしています。このままでは日本経済は地盤沈下を続けていくほかないのです。

アベノミクスの失敗

２０１２年に発足した第2次安倍政権が翌年に掲げた経済政策の総称が「アベノミクス」でした。この時は「三本の矢」が喧伝され、翌14年には「女性活躍」、15年は「新三本の矢」と「一億総活躍」、16年は「働き方改革」と「生産性革命」、そして17年には「人づくり革命」と、スローガンをころころと変えていき、その大半が政策目標を達成できずに終わってしまうというのが、安倍政権の大きな特徴の1つです。

「三本の矢」では、物価上昇率を「2年で2パーセント」引き上げることでデフレ脱却を実現するとされましたが、7年たっても達成できていませんでした。そして新型コロナの感染拡大により、再びデフレに逆戻りです。「女性活躍」にしても、女性管理職の割合は一向に上昇せず、「新三本の矢」で打ち出された介護離職ゼロも、掛け声倒れとなっています。このように安倍政権は、華々しく打ち出した政策目標が行き詰まると、次の政策目標をあらたに持ち出して、それ以前の失政を検証させようとしないのです。こうした「スローガン政治」は、ただ〝やっている感〟を演出するだけですから、ごまかされてはいけません。

「異次元の金融緩和」について言えば、6回にわたって「2年で2%の物価目標」の達成時期を延期した挙句、2018年4月の展望リポートから、達成時期の記述を削除してしまいました。

2019年の平均で消費者物価指数を見ると、総合で0・5%、生鮮食品を除くコア指数で0・6%、生鮮食品とエネルギーを除くコア指数でも0・6%でした。これだけ金融緩和をしてきても、物価の低空飛行を続けていました。新型コロナの大流行が始まってから、再びデフレに逆戻りです。コア指数（生鮮食品を除く消費者物価上昇率）で見ると、２０２０年2月は０・６％、3月は０・４％、4月と5月にはとうとうマイナス０・２％とデフレに入りました。企業物価指数（対前年同月比）を見ると、２０２０年3月にマイナスに転じて、2月に０・７％、3月はマイナス０・５％、4月はマイナス２・４％、5月はマイナス２・8％、6月にマイナス１・６％と、デフレへの逆戻りはさらに深刻化しています。

日銀は、2％の物価上昇率を達成するための金融政策の一環として、国債の買い入れが限界に達しつつあるために、日本株に投資する上場投資信託（ＥＴＦ）を年間、約6兆円も購入していました。２０２０年3月16日に、6兆円を12兆円に倍増しました。長期債だけで見ると、日銀は国債残高の46・8％（２０１9年末）を持ち、ＥＴＦの75％を保有しているのです。もし、最大の買い手である日銀が、国債やＥＴＦを買うのをやめてしまえば、国債も株も大きく下落して金利が上昇し、日銀を含む金融機関が莫大な損失を抱え込むことになります。このため、ひたすら財政ファイナンスを続けるほかない状況に陥っているのです。

先ほど、アベノミクスは〝出口のないネズミ講〟と化していると指摘した所以が、ここにあります。

２０１6年2月に日銀は、マイナス金利を導入しました。いくら金融緩和を拡大しても、金融機関の貸し出しが増えなかったため、この状況を打開しようとしたのです。

マイナス金利政策というのは、金融機関が日銀に預けている当座預金の一部に「マイナス0・1%のマイナス金利」を適用することで、そのまま預金し続けると手数料を取られる形となる金融機関が、この預金を貸し付けに回すよう誘導するものです。

ところが、この超低金利政策は、銀行とりわけ地方銀行・信用金庫の収益を圧迫します。というのも、金利引き下げの余地はもはや限られており、日銀は長期債をもマイナス金利(額面よりも高い価格)で買い取る以外になくなってきたからです。そうなると日銀は、潜在的に損失を抱えることになるだけでなく、イールドカーブが寝てしまう(つまり、短期と長期の金利差が狭まる)のです。そして、銀行にはマイナス金利を適用できず、せいぜいゼロ金利の適用にとどまっています。

このような金融政策を続けることで、経営破綻する地銀や信金が出てきた時に、日銀はもはや最後の貸し手としての機能を十分に果たせず、地域経済のさらなる崩壊を促すことになりかねません。

「貿易立国」としての存立も危うい

安倍政権の通商政策も、日本経済に悪影響を及ぼしています。

2019年7月、半導体の生産に欠かせない3つの材料(フッ化水素、EUVレジスト、フッ化ポリイミド）の対韓輸出規制を強化したのです。

日本政府の当局者は、ハイテク関連の輸出品が北朝鮮などに不法にわたらないようにするための措置だと主張しましたが、それは表向きの理由にすぎないというのが、大方の見方です。実際、サリンの材料なら中国製の普通のフッ化水素で十分です。わざわざ高価で厳重に管理されている半導体用の高純度フッ化水素を北朝鮮に流すものでしょうか。数が限られているオランダのASML製の露光機で焼き付ける際の材料であるEUVレジストを戦闘機用に流用すれば、すぐに足がついてしまいます。実際、軍事流用の証拠は出てきませんでした。そのうちサムソンなどが米国のデュポンから調達したり、自前で生産したりすると、輸出規制は止めざるをえませんでした。この輸出規制の強化は、「元徴用工問題」に対する「報復」を意図して行われた側面が強いのです。

先の大戦で日本は、朝鮮半島の人々を、日本の工場や炭鉱などの労働力として動員し、過酷な労働をさせました。2018年10月、戦時中に日本の製鉄所で働かされた元徴用工4人が損害賠償を求めた訴訟で、韓国大法院（最高裁）は、新日鉄住金（旧新日本製鐵）の上告を棄却し、損害賠償の支払いを命じました。

2019年7月の対韓輸出規制は、それに対する「報復」だと韓国で反発が高まり、日本製のビールをはじめとした食品や自動車などの不買運動が広がります。このため、2019

年の韓国への輸出額は前年比で12・9パーセントも減少しました。この年の韓国からの訪日客数は25・9パーセントも減ってしまいました。

日本にとって韓国との貿易額は、中国、アメリカに次ぐ第3位で、年2兆〜3兆円に上る貿易黒字を得てきました。大事な貿易相手国であるにもかかわらず、経産省は元徴用工という、本来切り離して考えるべき歴史問題を輸出管理の問題と結びつけ、日本企業の利益を損なうような判断をしたのです。経産省は日本の産業を潰していくばかりです。

実際、対韓輸出規制によって、日本の化学産業は大打撃を受けました。半導体の洗浄に用いるフッ化水素の対韓輸出額が、2019年8月はゼロとなり、同年12月でも前年同月比で74・1パーセント減となってしまったのです。韓国企業と連携し、分業によって生き残りを図ってきた日本企業の足を引っ張ったのです。

対韓輸出規制の対象となったフッ化ポリイミドは、有機EL（液晶ガラスの代わりになる樹脂製フィルム）の素材で、住友化学などがサムスン・ディスプレイやLGディスプレイに供給してきたものです。

富士フイルムや三菱ケミカル、JSRなども、台湾や韓国のメーカーから信頼を得て、高純度のフッ化水素やEUVレジストなどを開発してきました。これらの企業は、韓国や中国の半導体メーカーの、製造現場の経験やノウハウをもとに素材開発を進めてきた面がありま

図3－2　貿易収支の推移

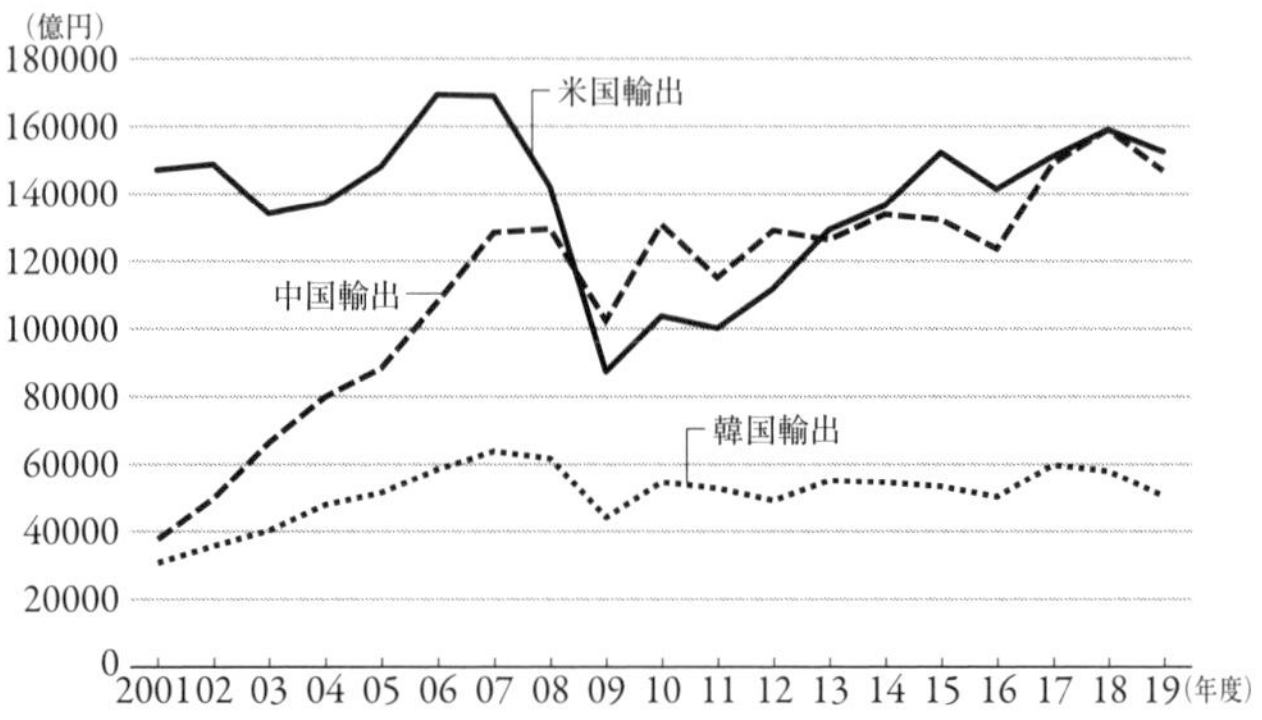

注：2020年度は4～5月までの合計.
出所：財務省「貿易統計」より作成.

す。安倍政権による輸出管理の政治利用によって、韓国企業から、こうした貴重な情報が得られなくなってしまえば、日本企業の製品開発力も衰弱しかねません。

米中貿易戦争のあおりを受けて、最大の貿易相手国である中国への輸出も減っています。10の重点分野を定めた2015年の中国製造2025によって、半導体や半導体製造機械、工作機械、化学素材などへの対中国輸出が急速に伸びて、2016年～17年に日本は貿易黒字に復帰しましたが、米中貿易戦争が激化していくにつれ、中国は自前生産に切り替えたため、2018年以降、対中国輸出は減少していき、再び貿易赤字に転落していく一因となっていきました。その後も、対中国輸出は減少していますが、新型コロナウィルス感染拡大も大きく影響しています。

アメリカのトランプ大統領は「米国第一主義」を掲げ、保護主義的な姿勢を鮮明に打ち出しています。2019年5月には、自動車の輸入増は「国家安全保障上の脅威」だと位置づけ、輸入車への追加関税をちらつかせました。

トランプ大統領がこの手の発言をしたのはこの時が初めてではなく、以前から、米国での自動車の生産や部品調達を増やすよう求めてきました。それに対してトヨタ自動車は同年3月、2017年から5年間の米国での総投資額が100億ドル（約1兆1000億円）から130億ドルに増える見込みだと発表し、アメリカにある5つの工場に新たに7・5億ドル（約840億円）を投資し、生産を拡充すると発表しています。これにより新規雇用は600人に達するとのことで、トランプ大統領は早速、「おめでとうトヨタ！　米自動車産業の労働者たちにとってビッグニュースだ！」とツイートしています。

このようにアメリカに譲歩することで、状況が打開できるとは到底思えません。むしろ、いったん譲れば、どこまでも譲らなければならない時代に入っていると考えるべきです。ところが残念ながら、これに対抗し得る外交交渉力を、安倍政権は持ちあわせていません。こうした中で、電気自動車（ＥＶ）への転換が世界中で本格化し、日本の自動車メーカーがキャッチアップに失敗すれば、頼みの綱である自動車産業ですら、衰退していくほかありません。

日本は「貿易立国」だと言われてきました。しかし現実はどうでしょうか。貿易収支の推移を見てみると、リーマンショック直前の2007年度には約9兆円だった貿易黒字は、翌年に大きく減少し、11年度から貿易赤字に転じています。16、17年度に再び黒字になったものの、その額は約4兆円で、かつての半分以下にとどまっています。そして上述したように米中貿易戦争が起きた18年度以降に貿易赤字に陥ります（図3―1参照）。

しかも、16、17年度の貿易黒字の大半は、中国製造2025に伴う半導体製造機や対米向けの自動車輸出が大きかったのです。それも、数量ベースでは増えておらず、円安によって利益が増えているだけです。であるなら、半導体やスーパーコンピュータ、液晶製品、携帯音楽プレーヤーはどうかというと、先述したように、すっかり競争力を失っています。逆に、スマートフォンなどの通信機器や医薬品の輸入が増えているのです。

もし日本の自動車産業が、先ほど述べたように競争力を失ってしまえば、2020年代半ば以降、大幅な貿易赤字が定着してしまいかねないのです。

「失われた30年」、企業は何をしていたか

バブルが崩壊した後、膨大な不良債権を処理するために、銀行への資本注入12兆円強を含めて約47兆円もの公的資金がずるずると投入されました。このとき、経営者も監督官庁も政

治家も、きちんと責任を取ろうとしませんでした。抜本的な不良債権処理をせずに財政金融政策を動員するこうした延命策は、短期的に利益を上げればそれでいいという安易な心性を定着させました。

安倍政権の下で、その歪みが次々と露わになっています。三菱自動車、神戸製鋼、日産自動車、東洋ゴム工業、日立化成、クボタなど、名だたる一流企業によるデータ改竄が露見したのです。目先の利益を上げることばかりを優先させてしまい、研究開発投資をロクにせず、付加価値の高い新しい製品を作り出して企業価値を高めるということを怠ってきたのです。

研究開発に投じた費用の世界企業ランキング（コンサルティング会社・ＰｗＣによる２０１８年調査）によれば、アマゾンがダントツの１位で、以下、アルファベット（グーグル）、フォルクスワーゲン、サムスン、インテル……と続き、日本企業は上位10社には入っていません。ようやく11位にトヨタ自動車が顔を出し、18位につけているのがホンダです。いずれも自動車メーカーです。

２０１７年の研究開発費の総額を各国比較すると、最も多いのがアメリカで５４３２億ドル、それに続いて中国が４９６０億ドルで、日本は第３位で１７０９億ドルです。１９９７年段階で日本はアメリカに次いで第２位でしたが、その後、中国に追い抜かれ、大きく引き離されてしまいました。１９９７年段階の研究開発費総額と２０１７年のそれを比べると、アメリカの伸び率は約2・6倍、中国はなんと約28倍であるのに対し、日本は約1・9倍でしかありません。

興味深いのは、日本の企業で研究開発費の上位を占めるのが、いずれも製造業だということです（2018年グローバルイノベーション1000調査）。日本の企業の中で最も多く支出しているのがトヨタ自動車で、次いでホンダ、日産自動車、ソニー、パナソニックとなっています。それに対してアメリカ、中国両国とも、上位を占めるのは情報通信産業の企業です。アメリカの企業の中では、順にアマゾン、アルファベット、インテル、マイクロソフト、アップルが、中国の企業の中では、アリババ、テンセント、ZTE、バイドゥ、中国建設が、それぞれ上位を占めているのです。

先端産業である情報通信産業において、日本がいかに取り残されているかが、ここからも見て取れます。ひどい状況です。先述したように、ITや再生可能エネルギーなどの新しい産業では、軌道に乗るまではある程度、国が支援する必要があります。市場に任せているばかりでは、初期費用を自力で賄うことも、基盤技術を開発することも困難だからです。ところがバブル崩壊後の日本では、大学の研究予算を削り続ける一方、多くの企業が目先の利益に目を奪われ、技術開発を怠り、政府は政府で市場原理主義にとらわれ、ロクな対策をしてこなかったのです。

こうして国際競争力を失っていった輸出企業は、政府・日銀による円安誘導によって助けられただけでなく、労働者の賃金をも引き下げることで価格競争で優位に立ち、生き残ろうとしました。円安と賃金引き下げによって収益を上げようとする悪循環が始まります。実際、２０００年から18年にかけての賃金指数の推移を見ると、実質賃金は低下ないし停滞しています。そのことが、家計消費の支出低迷をもたらしているのです。ちなみに、図３―２では、安倍政権下で２０１９年まで名目賃金指数が若干上昇傾向にありましたが、２０２０年に入って、再び急速に低下しつつあります。ＯＥＣＤの統計によれば、時間当たりの実収賃金指数で見ると、日本の時間当たり賃金は他国と比べて突出して伸びが低くなっています。

こうして本章冒頭で触れたように、賃金引き下げと雇用破壊が進み、それによって内需はますます低迷し、いっそう輸出に頼るようになり、さらに円安と雇用破壊・賃下げが進むという悪循環にはまり込んでいったのです。

では、どうすればいいのか？

一刻の猶予も許されないのが、最低賃金の引き上げです。しかし、それだけでは不十分です。以下、順を追って説明します。

先に見たように、国際的に見て日本の最低賃金の水準は突出して低い状態が続いています。これでは最低限の文化的な生活もできません。どう考えても異常です。最低賃金を引き上げなくてならないのです。だからといって、賃上げのペースを一気に引き上げると、中小企業の収益を圧迫することになってしまいます。そうなると、人件費を抑えるために、低劣な労働条件で外国人労働者を雇うということが起きかねません。

人々の生活水準を包括的に引き上げる必要があります。最低賃金の引き上げだけでなく、住宅費用や教育費用の軽減を図らなくてはなりません。住宅であれば、家賃手当を設けて拡充することが喫緊の課題です。教育については、大学予算の継続的な削減政策（たとえば旧「国立大学」の年１％の予算削減政策）を止めさせて、授業料を引き下げ、給付型奨学金を増やす必要があります。それによって教育費の公的負担を引き上げ、知識集約型産業に合った教育を充実させていく必要があります。こうした措置は格差の是正を促進し、ひいてはＧＤＰの約６割を占める家計消費にプラスの効果をもたらします。

ただし、家計消費が増えるまでには時間がかかります。社会保障の不安もそう簡単には克服されないでしょう。こうした中で、付加価値の高い新しい製品を日本企業が創り出せず、国際競争力がますます低下していけば、最低賃金の水準も引き上げられなくなってしまいます。民間企業が賃金を引き上げるということは考えられません。

だからこそ、産業の衰退を食い止めるための産業戦略が必要なのです。

2　エネルギー転換で経済・社会を変える

「集中メインフレーム型」から「地域分散ネットワーク型」へ

これからの日本にとって必要な産業戦略について述べる前にまず、安倍政権が掲げる産業戦略がどのようなものか概観しておきましょう。

いわゆる「骨太の方針２０１８」が、イノベーションを推進するための、安倍政権の産業戦略と言えますが、「インダストリー４・０」、「ソサエティー５・０」などのスローガンを並べたただけの具体性に乏しい内容です。

製造業のオートメーション化、データ化・コンピュータ化などの「インダストリー４・０」によって「生産性革命」を引き起こし、少子高齢化に伴う人口減少を解消していき、「ソサエティー５・０」によって、ＩｏＴ（Internet of Things　あらゆるモノがネットを通じてつながることで実現するサービス、あるいはそれを可能とする技術の総称）やＡＩを展開していくというのですが、実際のところはどうでしょうか。原発再稼働と原発輸出、リニア新幹線、国土強靭化計画や東京オリンピックと建設事業、大阪万博とカジノＩＲなど、旧来型のもののばかりです。重化学工業を中心とする守旧的な経団連のために、政府はこうした産業政策を実施しているわけですが、イノベーティブなものとはとても言い難いのです。

端的に言って、こうした方向性は間違っています。なぜなら、原子力や石炭火力を用いた大規模・集中型のエネルギーシステムは、もはや時代遅れだからです。いま必要なのは、エネルギーシステムを、「集中メインフレーム型」から「地域分散ネットワーク型」へと転換することです。

それにはまず、巨大電力会社による地域独占体制を解体しなくてはなりません。発送電を完全に分離し、中小の電力事業者が再生可能エネルギーから電気をつくり、それを蓄電池に蓄えながら、スマートグリッド（情報通信技術を活用することで、電力の需要と供給を最適化する次世代のエネルギー供給網）できめ細かに調節していく。それぞれの地域で、こうしたエネルギーシステムを実現していくことで、産業のあり方も、社会のあり方も大きく変わっていくはずです。そして、これこそが分散革命ニューディールの突破口となる政策なのです。

ワットが改良を加えた蒸気機関が普及することで、工場制機械工業が一般化しました。それだけでなく、石炭をエネルギー源とする鉄道や蒸気船が登場し、交通革命が生じます。そして第2次世界大戦後には、石炭から石油への急激なエネルギー源の転換が世界的に生じました。それに伴って自動車や航空機が普及し、さらには重化学工業が発達します。

このようなエネルギー革命によって、産業構造も転換し、交通や建物など社会インフラのあり方も大きく変わっていくのです。それで言うなら、まさに今、再生可能エネルギーによって、第3のエネルギー革命が起きているのです。ところが安倍政権は、先述したように、こうした潮流から完全に背を向けています。

そもそも、ＩｏＴやＩＣＴ（情報通信技術）は、多数の分散した小規模の情報をまたたく間に調整できるという特性を持っています。これらの技術を活用すれば、効率的な地域分散ネットワーク型システムを構築できるのです。経産省や電力会社などは、これまで再生可能エネルギーは「不安定で不効率だ」と言ってきました。第1章第1節で述べたように、蓄電池の急速な普及によって、こうした弱点はすでに克服されています。しかも、ＩｏＴやＩＣＴの発達によって、より効率的で安定的なエネルギーシステムが実現できるのです。いまだに、そういう時代遅れな言説を繰り返している時点で、技術進歩に関する無知無能によってエネルギーを基点とした産業のイノベーションから完全に取り残され、日本の産業をガラパゴスにして滅ぼそうとしているのです。

もう少し言えば、経産省や電力会社などが自らの地域独占を死守することが目的になっているのではないでしょうか。この「地域分散ネットワーク型」にとって何より重要なのは、地域の中小規模の事業者や農業従事者、市民らで共同出資して、地域の資源を生かしてどのような再生可能エネルギーに投資するかを自ら決めていくこと、そして、そうやって作り出した電気の売電益がその地域に還元されていく、ということです（第2章第2節）。この循環が、地域の自立を力強く後押しするのです。

第3のエネルギー革命によって、住宅など建物も、省エネ型に変わっていきます。たとえば、少ないエネルギーでも快適に過ごせる二重窓などを備えた断熱住宅が普及し、電灯はすべてLEDとなり、大半の電気製品はコンピュータで制御され、屋根に設置された太陽光パネルによる発電で自宅の電気はまかなわれ、家に誰もいないときはセンサーが作動して電力使用量が抑制され、大きな建築物であれば、地中熱を利用することで、冷暖房のコストを節約する……。このようにして、リフォームの需要が急激に拡大していくはずです。

環境に及ぼす負荷を少しでも減らし、安全なエネルギー源をベースにすることで、耐久消費財のあり方にはじまって、インフラや建物のあり方に至るまで、大きく変わっていくのです。そうなれば、企業にしても変わっていかざるを得ません。

思えば20世紀は、重化学工業を軸にした大量生産・大量消費の「集中メインフレーム型」の時代でした。それは、市町村や都道府県など地方自治体を国の出先機関とする中央集権的な行財政システムと適合してもいました。

この集中メインフレーム型のシステムは、大量生産・大量消費で単位当たりのコストを引き下げていく仕組みです。したがって、人口が増加傾向にあり、内需も拡大し続け、輸出額も増加していくような社会でないと、集中メインフレーム型のシステムはうまく機能しません。しかし、これまで見てきたように、すでに日本企業の国際競争力は衰えており、少子高齢化も進み、実質賃金が停滞もしくは低下し続けていますから、とてもこのシステムがもたないのは明らかです。

ですから目指すべきは、「集中メインフレーム型」ではなく「地域分散ネットワーク型」の社会なのです。クラウド・コンピューティングやＩｏＴ、ＩＣＴの発達によって、それぞれは小規模で分散していても、瞬時にニーズを把握し、きめ細かく供給することが可能です。しかもそれを効率的に行うことができるのです。各国でこうした動きが始まっています。これが21世紀の新たな産業革命なのです。

「環境」と「安全」が社会の基軸に

では、医療や福祉、介護の世界は、今後、どうあるべきでしょうか。

知られているように、高齢化が進む現在、単身世帯が増加しています。これに対応して、医療や福祉、介護の分野も、地域分散ネットワーク型に変革していく必要があります。

具体的には、中核病院、診療所、介護施設、訪問医療・看護・介護などをネットワークで結びつけ、地域医療・介護のシステムを構築するのです。

介護を受けたり、医師に診てもらう際の情報はネットワーク化し、一人ひとりの利用者に、かかりつけ医やケースワーカーがきちんと寄り添えるような仕組みを作ります。それによって、医師や看護師、ケアワーカーたちが連携しながら、利用者のニーズにあったサービスを効率的に提供することが可能になるのです。また体温、血圧、脈拍などのデータは自動的にやりとりするようになり、遠隔地医療も可能になってゆく。もちろんその際、個人の医療情報が漏洩したり悪用されたりしないよう、セキュリティ対策を万全にしなくてはなりません。

といっても、たとえば都市部と農山漁村では、福祉サービスに求めるものに違いがあります。このため、福祉を利用する人々と、福祉を提供する人々、さらには地域住民が、どのような福祉サービスが必要とされるのかを議論し、その中身を決めていかなくてはなりません。その上で、地域の事情に合った、福祉サービスの供給体制を構築するのです。

このように地域分散ネットワーク型へと転換することは、中央集権的な意思決定システムから、分権・自治型の合意形成システムへの転換を伴うものでもあるのです。

そこで重要なのは、中央集権的な「上から下へ」のガバナンスではなく、それぞれの地域を基本とし、地域では対応できないものを上位の行政機関に委ねる「補完性の原理」に立脚するということです。その上で、地域同士でネットワークを形成し、中央政府からの独立性を確保するのです。言葉を換えればそれは、地域住民が主権者であることを前提とする民主主義の実践と言えるでしょう。

実は新型コロナウィルスの問題が、医療や介護の「地域分散ネットワーク型」への転換の必要性をますます認識させました。

地域の医療崩壊を防ぐために、地方の首長たちの果たした役割に注目が集まりました。とくに、和歌山県、大分県などでは、地域の中核病院で大規模な院内感染が起きましたが、徹底したＰＣＲ検査を実施して封じ込めに成功しました。さらに無症状者を検出し、隔離したり、抗ウィルス剤などを使って早期に治療して封じ込めることが大事になります。その際、地域の職場、学校、医療・介護施設、消防や警察など、小さなコミュニティ単位での健康診断で精密抗体検査を実施し、症状のある人へはＰＣＲ検査を行うことで、全員検査を実現する必要があります。全国一律で上から強制することは現実的ではなく実効性もありません。

地域分散ネットワーク型への転換は、実は食と農の分野でも進んでいます。大規模専業農家をモデルとする農業基本法以来の経営モデルは、これまで一度として主流になったこともないし、これからもありえないと思われます。農業でも兼業が現実的で、かつ小規模分散ネットワークの仕組みが必要となっていきます。

それを象徴するのが、農産物直売所へのＰＯＳシステムの導入です。販売所で農産品が売れるたびに、バーコードでその情報が読み取られ、どこで何が売れたのかが瞬時に分かるようになります。より新鮮な農産物を近場で迅速に仕入れ、輸送費や中間マージンを取られることなく、売上げをＩＴＣですぐに生産者に支払うことが可能になります。この仕組みを導入することで、大量仕入れ、大量販売ではなく、きめ細かな販売が可能になるのです。それに加えて、ネットワーク化を進めることで、より付加価値の高い農産品を各地で提供することができるようになります。

たとえば、北海道では柚子《ゆず》がとれません。他方で、鹿児島では天然コンブがとれません。これをネットワーク化し、互いにこれらの産品を融通し合うことで、双方で大根の漬け物を作ることができるようになるわけです。ネットワーク化されることで、ある地域ではまだあまり収穫できないので高値となっている農作物を、他地域から安く仕入れるということも可能になります。

現在、農産物直売所は全国に一万数千カ所（季節営業店も含めると2万3000）あり、年間総売上は約1兆324億円にも上ります（2018年、都市農山漁村交流活性化機構調べ）。ここにＰＯＳシステムを導入し、ＩＴＣの活用によりネットワーク化を進めて相互に結びつき合うようになれば、さらなる発展が期待できるのです。

地球環境を守るという意味での「環境」や、自分たちの暮らしの安全・安心といった社会的価値に基軸を置きながら、こうした6次産業化を推進することで、小規模農業であっても高付加価値化と効率化が実現でき、「もうかる農業」にしていくことができるわけです。ここで言う「6次産業」とは、農業の「1次産業」、食材を加工する「2次産業」、食材・食品が流通する「3次産業」を掛け合わせる（連携し、一体化して取り組む）ことで「6」次となり、新たな可能性が生まれてくることを意味しています。

しかし、この6次産業化によって、それぞれの地域が自ら雇用を創り出し、地域でお金が回るようになったとしても、まだ十分ではありません。というのも農業は、気候や地形、土壌といった自然条件による制約から逃れられませんし、現在のようなデフレ経済下では、農産物の市場にも不確実性があるからです。地域で生きていけるようにするには兼業を入れた農家経営モデルを打ち立てていかなければなりません。

そこでポイントとなるのが、第2章で取り上げた「営農ソーラー」です。

農業を営むのにくわえて、再生可能エネルギー発電事業にも取り組むという、「エネルギー兼業農家」となることで収入も安定します。固定価格買取制度を利用することで、再生可能エネルギー発電のための初期投資で生じた赤字もカバーできますので、「エネルギー兼業農家」は、まさに「生きていけるモデル」なのです。しかも、地域のオーガニックカフェや地産地消レストラン、地域のアートやツーリズムとの連携が生まれてくれば、一人ひとりがさまざまな能力を発揮する機会も拡大します。

ちなみに、地球温暖化防止という意味では、大規模植林・間伐といった従来型の林業ではなく、兼業農家の形で自営する自伐型林業も、「エネルギー兼業農家」の変形とも考えられます。

2018年度の日本の食料自給率はカロリーベースで37%です。1970年度には60%でしたから、23ポイントも減っています。食の安全保障という観点から言っても、この状況は好ましくありません。食料を海外から輸入するという今の日本のあり方を見直す必要があるのです。農業を再生し、食料自給率を高めることは、この国の未来にとってきわめて重要な課題となっています。

地域主権のグランドデザイン――エネルギー・住・医・食・農まで

「6次産業化」+「エネルギー兼業農家」という農家経営モデルは、地域経済のあり方をも大きく変える可能性を秘めています。

第1に、従来は大手電力会社の電気を使用していたのが、エネルギー兼業農家が増えていくことで、地域のなかで電力を自給できるようになり、さらには売電益も期待できるようになります。つまり、それまでは電気代として支払ったお金は地域外へ出ていってしまったのが、エネルギー自給が可能になることで、地域内を還流するようになるのです。

第2に、これまでであれば地域経済の活性化を図るために、外部から工場を誘致し、兼業農家のために雇用を創り出すということをしていました。しかしその場合、収益の大半は地域外へ流出してしまっていました。

それに対して「6次産業化」+「エネルギー兼業農家」というモデルでは、地域の資源を多角的に活かし、雇用を創出し、収益をもたらし、それが地域を循環するという、自律的な経済圏を生み出します。前に述べたように、米中貿易戦争に伴う世界経済のブロック化の動きとともに、貿易赤字が拡大していますから、円安誘導と賃下げによる輸出主導型のこれまでの景気回復策に代わって、このように内需を幅広く広げながら、イノベーションによって地域に新しい産業と雇用を創出することが重要です。

そして、そこには民主主義が息づいています。再生可能エネルギーによる発電事業ひとつ取っても、みんなで出資し、地域の資源を活かしてどのような再生可能エネルギーに投資するかを自分たちで決めていく。そのようにして、自分たちで地域のあり方を創り上げていくのです。

農業や林業を営む人々は、その地域で田畑を耕し、森林を管理し、農業用水を共同管理しています。そこは太陽光、水力、木材加工の廃材、家畜の排泄物など、再生可能エネルギーとして利用可能な資源の宝庫です。これらの資源を活用して、農業従事者や林業従事者が発電事業に乗り出すことで、この国のエネルギー革命は大きく前進するはずです。エネルギー兼業農家になることで農業従事者は、環境や安全・安心といった社会的価値を確かなものとする存在として重要な役割を果たすことになるのです。

といっても、6次産業化にしても、エネルギー兼業農家にしても、農業従事者が独力で行うには負担が大きすぎます。地域ぐるみでやらなければ、うまくいかない面があるのです。ここで大きな役割を果たすのが、農協や農協系の金融機関、信用金庫など地域の金融機関、そして地域の市民ファンドです。これらのサポートを得ながら事業を軌道に乗せ、その成果の一部は地域へ還元していく。この循環が大切です。

自分たちが暮らす地域の社会保障、社会福祉の仕組みをどのように作っていくのか、当事者同士で話し合いながら決めていくこと。収穫した農作物を自分たちで加工し、より付加価値のあるものにしていくこと。エネルギーから住、医、食、農まで、生活を営む上で基礎的なニーズについては可能な限り自分たちでその仕組みを作っていくこと。それこそが、地域分散ネットワーク型社会なのです。

産業構造転換のために国家がなすべきこと

ここまで地域分散ネットワーク型社会の具体像を語ってきました。最後に、産業構造の転換を進める上で国が果たすべき役割について話をしてみたいと思います。

知られているように、アメリカや中国での先端技術の研究・開発では、軍事利用を前提とするものが少なくありません。無人航空機（ドローン）、自動車の無人運転、コンピュータによる地形認証システムなどの基盤技術は、いずれも軍用目的でも利用されています。国防総省高等研究計画局（ＤＡＲＰＡ）が先端技術開発に重要な役割を果たしています。戦争において自国の損害を少しでも減らすと同時に、「効率」よく戦争を遂行するために、国家が莫大な予算を投じて開発したのです。程度の差はあれ、グーグルやアップルも技術的には無関係ではありえません。

中国のファーウェイやＺＴＥといった先端技術を担う民間企業も、軍事部門からスピンアウトしてきたもので、似たような流れがあります。こうした基盤技術の上に、シリコンバレーや中国の深圳や雄安は、市場調査を行うことで消費者のニーズをつかみ、ＩＴ関連企業が集中するようになったのです。こうした事例からも分かるように、国家によるサポートをテコにして、先端技術が集積するような拠点が生まれてこなければ、新しい産業はそう簡単には生まれてこないのです。

しかしながら日本は、軍事利用を前提とする研究・開発を行うわけにはいきません。他方で、大学は旧態依然として情報通信技術の基盤技術の開発から遅れたうえに、予算が恒常的に削られています。こうした閉塞状況を打破するには、情報公開と民主主義を大原則にして国家戦略を立てる必要があります。

昨今のイノベーションの特徴は、プラットフォームとなるスタンダード（標準）が変わると、市場が一変するという点にあります。たとえば、レコードからCDへ、ウォークマンからｉＰｏｄやｉＰｈｏｎｅへ、固定電話から携帯電話、そしてスマートフォンへ、原発・火力から再生可能エネルギーへ、内燃エンジン車から電気自動車へ……といった具合です。

このような大転換に際して政府は、国有企業か民間企業か、政府か市場かといった、旧来的な二分法に囚われていてはなりません。新しい産業のためのインフラ整備、研究開発投資を含む初期投資の赤字分をカバーするための制度設計、国際的なデファクト・スタンダードに育てるためのＯＳ（オペレーティングシステム）の選択と、これに関連するルールの標準化と外交交渉、関連産業の支援、知識産業化の推進、創造性を重視した教育の拡充などにおいて、国家戦略が重要になってくるのです。

イノベーションはスピードが命ですから、研究開発においては企業と研究機関を横断するオープン・プラットフォームを構築し、若手研究者・技術者に活躍の場を与えることが重要です。国も企業も応分に出資し、「オールジャパン」で取り組む必要があります。

こうした転換期にあっては、政府が常に正しい判断をするとは限りません。だからこそ、情報公開と決定プロセスにおける透明性の確保、公正なルールの徹底、若手研究者・技術者の育成と、そのための十分な予算配分が不可欠なのです。とはいえ、クールジャパンを含めて官民ファンドの悲惨な結果を見ればわかるように、安倍政権の下で「仲間内資本主義《クローニーキャピタリズム》」がひどくなっています。こうした事態を改善するには、国会の国政調査権を行使して、森友問題、加計学園問題、桜を見る会などを徹底的に解明し、厳正な処罰をすることが不可欠になります。

じつは日本には、敗戦直後の1940年代後半から50年代にかけて、産業構造を一気に革新し、その後、高度成長を成し遂げたという経験があります。繊維工業をはじめとした軽工業中心の産業構造を転換し、「欧米に追いつけ、追い越せ」と、重化学工業化を図ったのです。石炭や鉄鋼を用いる基礎産業部門に資材や資金を配分する「傾斜生産方式」という国家戦略によってなしえたものでした。

当時と今は、経済状況が似ていると思います。まるで倒産企業のように、未来を考えずに金を湯水のように使っているだけです。もはや日本は先進国とはいえなくなっています。だからこそ、オールジャパンで新しい産業を創り出す必要があるのです。

第4章

いま、私たちにできること

飯田哲也／金子勝

ポストコロナの時代を切り開いていくには、政府が言う小手先の「新しい生活様式」ではまったく不十分です。コロナによって経済活動が止まったり、滞ってしまったり、コロナ倒産や雇い止めがジワジワ進み、生活は苦しくなっています。しかし、泥沼の財政赤字の中、政府がお金をばらまいているだけでは、未来は失われてしまいます。

全員検査と治療薬の確立など抜本的なコロナ対策を行うと同時に、自分たちの経済や社会の仕組みを根本的に見直しながら、新しい産業と雇用を創出する戦略を立てないといけません。

序章で述べたように、現代社会は、新しいリスクに満ちています。世界的に流行している新型コロナウイルスのほか、台風や干ばつなどの自然災害、水や農作物の不足、海面上昇による海岸地域の水没など、地球温暖化がもたらすリスクがあります。そして、情報通信技術の進展についていけず、情報環境のセキュリティも不十分という日本特有のリスク――。これらのリスクに典型的に示されているように、大都市の過密状態こそが、人類の生存を脅かす大きなリスクとなっています。

こうした中で、私たちの暮らしを守るためには、「分散革命」を起こさなくてはなりません。ポストコロナの時代を始めるには、地域の中で自分たちでお金を回して産業と仕事を作っていき、人間の基本的ニーズを自分たちの地域で満たし、食と農、医療介護や教育保育などについては、どのようなあり方がいいのか、それぞれ話し合って決めていけるような社会を創ることです。そして、あらゆる産業と生活の基盤となるエネルギーの大転換を突破口にして、地域分散ネットワーク型の経済社会への移行を図っていくのです。これまで論じてきたように、すでにそのための条件は整いつつあります。その流れをさらに加速させるために、いま、私たちには何ができるのでしょうか。ここではそのことについて、ポイントとなるいくつかのことを述べていきたいと思います。

周縁から「恐竜」を倒す

これまで何度も言ってきたように、もはや基幹エネルギーは原子力でもなければ石油や石炭でもありません。再生可能エネルギーなのです。これは世界的な潮流です。にもかかわらず、日本政府も、大手電力会社も、自分たちの失敗をほおかむりして、独占的利益をむさぼるために、いまだに原発や火力発電にしがみついています。さながらその姿は、現代の恐竜です。あまりにも巨大化してしまったために、時代の変化に対応できず、立ち往生しているようにも見えます。

人類の歴史を通じて、社会が根本的に変化するときには、周縁からその動きが生じてくるものです。最初は小さな胎動でしかなかったものが、徐々に拡大し、磐石だと思われていた従来の社会構造を変えていったのです。今まさに、そうした変化が起きています。石油や原子力から再生可能エネルギーへの転換です。

第2章で紹介したように、小規模・地域分散型のエネルギーシステムに取り組む「ご当地エネルギー」は、日本全国に250ほどあります。再生可能エネルギーへの転換が、すでに地域レベルで始まっているのです。世界に目を転じると、太陽光発電と風力発電が加速度的に広まっており、化石燃料市場は近い将来に消滅する可能性があるのです。ギガフォールです。

つまり、再生可能エネルギーをめぐって、いま、これを推進する海外での大きなうねりと、それに呼応する日本各地での動きの2つが生じているわけです。原発や火力発電が、やがて滅びゆく恐竜だとすれば、それに対して「地域」と「海外」の両側から挟み撃ちにしている状況だと言っていいでしょう。

デンマークは1864年にプロイセン・オーストリア連合軍と戦争となり、これに敗北したため、国土の3分の1近くを失っています。その経験からデンマークは、「外なる有限ではなく、内なる無限を目指そう!」という合言葉の下、教育に力を入れるようになりました。人間のクリエイティブな能力を引き出そうとしたのです。

こうして復興を遂げたデンマークについて、明治・大正期に無教会主義を主唱したキリスト教の伝道者、内村鑑三は１９１１（明治44）年の講演で、次のように述べています。

富は大陸にもあります、島嶼《とうしょ》にもあります、沃野にもあります、沙漠にもあります。大陸の主《ぬし》かならずしも富者ではありません、小島の所有者かならずしも貧者ではありません。善くこれを開発すれば小島も能く大陸に勝《まさ》るの産を産するのであります。ゆえに国の小なるはけっして歎《なげ》くに足りません。これに対して国の大なるはけっして誇るに足りません。富は有利化されたるエネルギー（力）であります。しかしてエネルギーは太陽の光線にもあります、海の波濤《なみ》にもあります、吹く風にもあります、噴火する火山にもあります。もしこれを利用するを得ますればこれらはみなことごとく富源であります。（『後世への最大遺物・デンマルク国の話』岩波文庫、傍点引用者）

ここで内村は、「エネルギーは太陽の光線にもあります、（…）吹く風にもあります、（…）これらはみなことごとく富源であります」と述べています。原子力発電から、太陽光発電、風力発電へという現在のエネルギー転換を予見していたかのようです。実際、デンマークは、本書第１章で述べたように、「自然エネルギー先進国」と呼ばれるまでになったのでした。

そして、内村鑑三が講演で指摘したことは、広大な国土を有しているわけではないこの日本にも当てはまるのではないでしょうか。太陽光、風力などを賢く利用すれば、間違いなくそれは「富源」となるのです。私たちがそれぞれの地域で考え、行動することで、エネルギー転換は現実のものとなっていくはずです。

電力会社の筆頭株主運動

エネルギーシステムを地域分散ネットワーク型へと転換する上で大きな障害となっているのが、巨大電力会社による地域独占体制です。

その障害を取り除くための、新しい形の市民運動として私たちがいま構想しているのが、電力会社の筆頭株主運動です。

これまで、脱原発株主運動というものは行われてきました。これは、東京電力や関西電力など大手電力会社の一株株主となって、株主総会の場で質問したり議案を提案することで、市民の要求を経営に反映させようとするものです。ただ、大株主となるのは難しいため、電力会社の経営方針を変えさせる可能性はそう高くありません。

しかし、筆頭株主になれば、その影響力は格段に強くなります。私たちがいま考えているのは、市民が力を合わせて北海道電力（北電）の筆頭株主となることで、北海道から再生可能エネルギーの風を吹かせたいということです。

北電の資本金は約1100億円（2020年3月末）です。東京電力が約1兆4000億円、関西電力が約4800億円であることに比べると、相対的に規模が小さいのです。株主構成としては、個人が3割、金融関係が3割で、筆頭株主は金融ファンドで7・3パーセント。ということは、8パーセントに相当する100億円を集めることができれば、筆頭株主になれます。100億円というと、途方もない金額だと思うかもしれません。

しかし、決して無理な数字ではありません。その傍証となるのが、次の2つの事例です。

1997年11月、平成金融危機により北海道拓殖銀行が経営破綻しました。その影響もあり、翌98年に生活協同組合コープさっぽろ（コープさっぽろ）は経営危機に陥ります。このときコープさっぽろは血のにじむような経営努力を強いられた代わりに、全国から計100億円の支援を受けました。つまり、全国的な支援体制ができれば、不可能ではないのです。北電の泊原発に反対する住民投票を行うための直接請求署名を、さまざまな市民運動・環境NGOなどと連携して90万人分集め、泊原発停止まであと一歩のところまで来たこともあります。

こうした事例に照らせば、100万人の市民が、それぞれ1万円を出して北電の筆頭株主になることも、決して夢物語ではないのです。諦めてしまえば、この国が滅んでしまうことを考えれば、一歩を踏み出すことはそう困難ではなくなるはずです。

じつは北電は、大手電力会社の中でもっとも厳しい経営環境にあります。

もともと北電は、電力供給の多くを泊原発に依存していました。その泊原発も、2012年に検査のために稼働を止めて以降、一度も再稼働していません。このため北電では、火力発電所の燃料費や、他社からの電力購入費がかさみ、経営難に陥ります。こうした中で北電は2013年、14年と2年続けて電力料金を引き上げ、全国でも最高水準となったため、それを嫌った顧客が、比較的安価な新電力に流れていきました。中でも工場やデパート、オフィスビルといった大口の顧客を失うことになったのです。

そして2018年、ブラックアウトが発生します。その原因は、苫東厚真《とまとうあつま》火力発電所への一極集中にあると言われています。翌19年に石狩湾新港ガス火力発電所を稼働させるなどし、電力の安定供給に問題はないと北電は言っていますが、収益環境は厳しい状況が続き、顧客の流出も止まっていません。

このように経営が行き詰っている北海道電力ですが、もし市民が同社の筆頭株主となって、燃料代のかからない再生可能エネルギーに切り替えることができれば、再建も夢ではありません。

このアイデアを出したのは、市民出資の市民風車を手がけているNPO法人北海道グリーンファンドで代表を務める鈴木亨さんです。「北海道電力を日本の最先端の電力会社にしたい」「地域独占の閉鎖的な経営から、道民の声を反映した電力会社にしたい」と鈴木さんは考えています。「北海道電力」から「北海道『民』電力」にしようというのです。

現在、北海道庁や札幌市など主要自治体は北海道電力の株式を保有していませんが、今後は取得して、市民ファンドと合わせて一定以上の株主比率になれば、道民の意思をいっそう北電に反映させられると、鈴木さんは考えています。そのために、自治体の首長選挙や議員選挙で、「北電の株主になること」を争点にしてもいいでしょう。このようにして、市民と力を合わせて、再生可能エネルギーの電力会社「北海道『民』電力」を育てていくのです。

ドイツ南部のシェーナウ市では、チェルノブイリ原発事故をきっかけに1997年に住民が配電会社を買収し、市民による再生可能エネルギー専門の電力会社をつくっています。もし北海道電力を買収することができれば、これを上回るスケールとなります。

「市民が筆頭株主となって、電力会社の経営に市民の意思を反映させる」ことができるようになれば、とても痛快ではありませんか。この筆頭株主運動ですが、最終的には市民が経営権を握ることをめざします。北電だけでなく四国電力など、資本金が相対的に小さい電力会社であれば、市民が筆頭株主となることは可能です。「ご当地エネルギー」が日本各地に広がっている中で、市民が自ら出資し、電力事業をスタートさせる力は十分、蓄えられてきています。ですから、この構想は実現可能性の高いプロジェクトなのです。実現すれば、「原発ガラパゴス」状態に、大きな風穴を開けることになるはずです。

福島再生可能エネルギー100％を目指す「現代の自由民権運動」

会津電力を立ち上げる時に、佐藤彌右衛門さんは「再生可能エネルギーで自立した福島をつくることは現代の自由民権運動だ」という考えを示しました。これは、太陽光発電や風力発電など小規模分散型の再生可能エネルギーの、オーナーシップを福島の人たちが持つようになることで、それぞれの地域において民主的で自律的な経済圏を実現させられるということでしょう。

国策で原発を押し付けられ、その原発による甚大な事故被害を受けた福島にとって、再生可能エネルギー100％の実現を図る上で、大きな宿題があります。福島県、とくに会津地方には膨大な水力発電があります。これらの水力発電は、東京電力（35万kW）、電源開発（136万kW）、東北電力（揚水発電を除いて124万kW）がそれぞれ持っています。年間発電量は合計でおよそ50億kW時と、福島県の全電力需要量の約3分の1に相当します。

とくに東京電力は、福島の水を使いながら、電気と事業収益を首都圏に運んでいますから、核廃棄物が出ないだけで、その構造は福島原発と同じといえます。福島県のシンボルの一つである猪苗代湖の水利権を東京電力が持っているという現実も、福島の人たちから見れば、皮肉なことではないでしょうか。

福島県は、福島第一原発事故後に掲げた２０４０年再生可能エネルギー１００％の目標に向けて、これまでの取り組みでおよそ28％まで増えてきています。福島県内の水力発電所が、たとえば仮に「福島県民発電所」となれば、再生可能エネルギー１００％に一気に近づきます。

そのため、原発事故を引き起こした東京電力を手始めに、福島県内にある水力発電所を提供してもらい、福島県民が保有・管理しても良いのではないか、そう佐藤さんは考えています。

私たちにできること

この本をここまで読んで、エネルギー転換の話に共感して下さったなら、ぜひ、身近な友人や知人、家族にこの話を伝えてください。そして、自分にできそうなことを考え、思いついたらそれを書き出してみて下さい。

「再生可能エネルギーについての学習会を開く」「近くのご当地エネルギーを訪ねる」「少額でもいいのでご当地エネルギーに出資したい」「北海道電力の筆頭株主運動に参加する」……など、何でも構いません。

そして、そのうちの一つを行動に移してみてください。そこがあなたの「スタート地点」となります。まずは「スタート地点」をつくることで、「次の一歩」が見えてきます。

とはいえ、いざ行動を起こすとなると、不安も大きいことでしょう。でも、それはあなただけでなく、だれでもそうなのです。

日本初の市民風車を誕生させた北海道グリーンファンドの鈴木亨さんは、安定した給与がもらえる生活クラブ生協の職を投げうって、たった一人で北海道グリーンファンドを立ち上げました。当時の事務所は、札幌市内の古ぼけた貸しビルの一室でした。そこにポツンと一人、佇んでいた姿を今もよく覚えています。

長野県飯田市で「おひさま進歩エネルギー」を始めた原亮弘さんとは、飯田市で地域エネルギー事業を担ってくれる方がなかなか見つからず、私（飯田）が困り果てていたときに出会いました。そして、おひさま進歩エネルギーの代表を引き受けて下さったのです（今は後進の方たちに譲っておられます）。

デンマーク・サムソ島で再生可能エネルギー100%を成し遂げ、今やサムソ・エネルギーアカデミーの学長として世界中に知られているソーレン・ハーマンセンさんと初めて出会ったのは、「サムソ環境エネルギー事務所」でした。ちょうど、サムソ島で再生可能エネルギー100%を実現させるという計画を立ち上げた直後のことで、小さな事務所で熱く夢を語ってくれたことを今も覚えています。

鈴木さんも原さんもハーマンセンさんも、それまで経験のないことに挑戦するので不安そうでしたが、それでいて和やかで自信に満ちた表情をしていました。なぜなら、彼らがやろうとしている「夢」が間違いなく、時代と世界が求める本質的なものであったこと、そして何よりも、彼らには信頼できる仲間がそれぞれいたからでしょう。

私たちが実現をめざす「分散革命」、そして再生可能エネルギーへの大転換――。新しい産業と来るべき社会システムを実現していく道を歩き出す――そのことに共鳴してくれたなら、仲間です。こうした仲間は今、まさにこの時も、日本中、世界中で増えています。もちろん、あなたが暮らす地域の中にもいるはずです。

スタートの仕方は、身の丈に合った形でいいのです。ぜひ、わたしたちと一緒にはじめの一歩を踏み出しましょう。

おわりに
――3・11後とコロナ後の「焼け野原」から日本再生へ

飯田哲也

今年（2020年）2月から、日本を含む世界各地は新型コロナウィルスのパンデミックで大変な事態に直面しています。この間に日本で起きたさまざまな出来事を見るにつけ、9年前の福島第一原発事故（3・11）を思い出さずにはおられません。

まず、「非日常」が突然「日常」になりました。マスクや防護服姿が身近なものとなり、店頭からは商品が突如消え去り、街中の様子が暗く一変し、私自身も全ての予定が中止になりました。

より深くは、この国（政府や官僚組織）の危機時の機能不全が重なります。クルーズ船への対応、遅れに遅れた給付金の支給、医療機関への手薄な支援など、「アベノマスク」に象徴される機能不全と、3・11後に混乱を極めた事故炉への対処や、ほとんど手が打たれなかった放射線計測や被ばく防護など。いずれも、「国民の生命・安全・健康の軽視」という点で通底しています。

日本のＰＣＲ検査も、人口あたりで世界１５０位前後と、途上国を含めても圧倒的に少ないままです。この間、国の委員会やメディアに登場する専門家は「検査を拡大すると医療崩壊を引き起こす」などと主張して、「検査難民」を生み出しました。これは3・11後に「メルトダウンは起きていない」「ニコニコ笑っていれば１００ｍＳｖでも大丈夫」と発言した原子力ムラの専門家の振る舞いと瓜二つです。

この4月からの半強制自粛（ステイホーム）で第1波が沈静化したにもかかわらず封じ込めに失敗し、7月あたりからの第2波の感染拡大を招いて、アジア最悪級の感染者数に至っています。にもかかわらず、経済再生のために「ＧｏＴｏトラベル」を続行するなど、狂気の沙汰でしょう。

ドイツを筆頭とする海外の国々は、福島第一原発事故に学び、折からの太陽光発電と風力発電の加速度的な拡大を踏まえ、今や自然エネルギー１００％を目指しています。ところが事故当事国の日本が、いまだに原発と石炭という「旧いエネルギー」に執着し、取り残されています。

こうして3・11後に露呈した機能不全の政治の「逆走」と、今回のコロナ禍がもたらす悪影響で、この先の日本には「焼け野原」が待ち受けていることが心配されます。欧州などのグリーンリカバリー（緑の復興）が見据えるコロナ危機と気候危機、社会格差に加えて、私たち日本社会は国自体の存続の危機にも直面しているのではないでしょうか。

同じ危機感から、金子勝先生の呼びかけで、分散革命ニューディールのための「ヨナオシフォーラム２０２０」を立ち上げてお手伝いさせていただいています。本書のテーマは最も重要な柱の一つです。

金子先生は、経済学者の中でもっとも尊敬するお一人です。幅広い分野にわたる研究や教育で素晴らしい仕事をしながら、同時に社会と向き合って発言し、さらに日本各地を訪れて地域の実態を踏まえた新しい農業や町づくりまで踏み込んだ提言をしておられる姿に、いつも力をいただいています。昨年、その金子先生がＩＳＥＰ（環境エネルギー政策研究所）の理事を引き受けてくださいました。

20年前、北欧の「エネルギー・デモクラシー」に示唆を得てＩＳＥＰを設立しました。その後、3・11の福島第一原発事故を経て、地域からの自然エネルギー拡大に役立つ固定価格買取制度（ＦＩＴ）の成立に尽力し、この制度はその後、各地で「ご当地エネルギー」が大きなうねりとなっていく上で重要な役割を果たしました。ＩＳＥＰ設立当初から、やがて自然エネルギーが中心となり、そこでは地域コミュニティが主役になると確信して活動してきて、そのとおりの未来が少しずつ近づいてきています。
今回のコロナ禍という危機を、日本再生への転換に活かせればと願いつつ、筆を擱《お》きます。

２０２０年盛夏　ほぼエネルギー自立の自宅にて

飯田哲也（いいだ・てつなり）

一九五九年山口県生まれ。京都大学大学院原子核工学修了。東京大学先端研博士課程満期退学。原子力産業従事後に「原子力ムラ」を脱出、北欧での研究を経て、二〇〇〇年に認定NPO法人環境エネルギー政策研究所（ISEP）を設立。FIT法起草、市民ファンドやグリーン電力証書の構想と導入、ご当地電力立上げなど、自然エネルギー社会変革の第一人者。著書に『北欧のエネルギーデモクラシー』（新評論）、『エネルギー進化論』（ちくま新書）ほか多数。

金子勝（かねこ・まさる）

一九五二年東京都生まれ。経済学者。東京大学大学院経済学研究科博士課程修了。東京大学社会科学研究所助手、法政大学経済学部教授、慶應義塾大学経済学部教授などを経て現在、立教大学経済学研究科特任教授、慶應義塾大学名誉教授。財政学、地方財政論、制度経済学を専攻。著書に『市場と制度の政治経済学』（東京大学出版会）、『新・反グローバリズム』（岩波現代文庫）、『平成経済　衰退の本質』（岩波新書）、『資本主義の克服』（集英社新書）ほか多数。

筑摩選書 0195

メガ・リスク時代《じだい》の「日本再生《にほんさいせい》」戦略《せんりゃく》
「分散革命《ぶんさんかくめい》ニューディール」という希望《きぼう》

二〇二〇年九月一五日　初版第一刷発行

著者　飯田哲也《いいだてつなり》　金子勝《かねこまさる》

発行者　喜入冬子

発行所　株式会社筑摩書房
東京都台東区蔵前二-五-三　郵便番号　一一一-八七五五
電話番号　〇三-五六八七-二六〇一（代表）

装幀者　神田昇和

印刷 製本　中央精版印刷株式会社

ISBN978-4-480-01714-7 C0354

筑摩選書 0122

大乗経典の誕生

仏伝の再解釈でよみがえるブッダ

平岡 聡

ブッダ入滅の数百年後に生まれた大乗経典はどんな発想で作られ如何にして権威をもったのか。「仏伝」をキーワードに探り、仏教史上の一大転機を鮮やかに描く。

筑摩選書 0123

フロイト入門

中山 元

無意識という概念と精神分析という方法を発見して「わたし」を新たな問いに変えたフロイトは、巨大な思想的革命をもたらした。その生成と展開を解き明かす。

筑摩選書 0124

メソポタミアとインダスのあいだ

知られざる海洋の古代文明

後藤 健

メソポタミアとインダス両文明は農耕で栄えた。だが両文明誕生の陰には、知られざる海洋文明の存在があった。物流と技術力で繁栄した「交易文明」の正体に迫る。

筑摩選書 0125

「日本型学校主義」を超えて

「教育改革」を問い直す

戸田忠雄

18歳からの選挙権、いじめ問題、学力低下など激変する教育環境にどう対応すべきか。これまでの「改革」の功罪を検証し、現場からの処方箋を提案する。

筑摩選書 0126

刑罰はどのように決まるか

市民感覚との乖離、不公平の原因

森 炎

市民感覚を取り入れた裁判員判決と職業裁判官の判断の溝はなぜ生じるか。日本の量刑には知られざるルールがある。歪んだ刑罰システムの真相に、元裁判官が迫る!

筑摩選書 0127

分断社会を終わらせる

「だれもが受益者」という財政戦略

井手英策 古市将人 宮崎雅人

所得・世代・性別・地域間の対立が激化し、分断化が進む現代日本。なぜか？ どうすればいいのか？「救済」から「必要」へと政治理念の変革を訴える希望の書。

筑摩選書 0128

貨幣の条件

タカラガイの文明史

上田 信

あるモノが貨幣たりうる条件とは何なのか。それを考えるのに恰好の対象がある。タカラガイだ。時と場を経巡りながらその文明史的意味を追究した渾身の一冊。

筑摩選書 0129

中華帝国のジレンマ

礼的思想と法的秩序

冨谷 至

中国人はなぜ無法で無礼に見えるのか。彼らにとって法や礼儀とは何なのか。古代から近代にいたる過程で中華思想が抱えた葛藤を読み解き、中国人の心性の謎に迫る。

筑摩選書 0130

これからのマルクス経済学入門

松尾 匡 橋本貴彦

マルクスは資本主義経済をどう捉えていたのか？ マルクス経済学の基礎的概念を検討し、「投下労働価値」がその可能性の中心にあることを明確にした画期的な書！

筑摩選書 0131

「文藝春秋」の戦争

戦前期リベラリズムの帰趨

鈴木貞美

なぜ菊池寛がつくった『文藝春秋』は大東亜戦争を牽引したのか。小林秀雄らリベラリストの思想変遷を辿り、どんな思いで戦争推進に加担したのかを内在的に問う。

筑摩選書
0152

陸軍中野学校
「秘密工作員」養成機関の実像

山本武利

日本初のインテリジェンス専門機関を記した公文書が新たに発見された。謀略研究の第一人者が当時の秘密戦工作の全貌に迫り史的意義を検証する、研究書決定版。

筑摩選書
0153

貧困の戦後史
貧困の「かたち」はどう変わったのか

岩田正美

敗戦直後の戦災孤児や浮浪者、経済成長下のスラムや寄せ場、消費社会の中のホームレスやシングルマザーなど、貧困の「かたち」の変容を浮かび上がらせた労作！

筑摩選書
0154

1968〔1〕文化

四方田犬彦 編著

1968～72年の5年間、映画、演劇、音楽、写真、舞踏、流行、図像、雑誌の領域で生じていた現象を前景化し、歴史的記憶として差し出す。写真資料満載。

筑摩選書
0155

1968〔2〕文学

四方田犬彦／福間健二 編

三島由紀夫、鈴木いづみ、土方巽、澁澤龍彦……。文化の〈異端者〉たちが遺した詩、小説、評論などを収録。反時代的な思想と美学を深く味わうアンソロジー。

筑摩選書
0156

1968〔3〕漫画

四方田犬彦／中条省平 編

実験的であること、前衛的であること、アンダーグラウンドであること。それが漫画の基準だった――。第3巻では、時代の〈異端者〉たちが遺した漫画群を収録。

筑摩選書 0157

童謡の百年
なぜ「心のふるさと」になったのか

井手口彰典

心にしみる曲と歌詞。兎を追った山、小川の岸のすみれやれんげ。まぶたに浮かぶ日本の原風景。童謡誕生百年。そのイメージはどう変化し、受容されてきたのか。

筑摩選書 0158

雇用は契約
雰囲気に負けない働き方

玄田有史

会社任せでOKという時代は終わった。自分の身を守るには、「雇用は契約」という原点を踏まえる必要がある。悔いなき職業人生を送る上でもヒントに満ちた一冊！

筑摩選書 0159

流出した日本美術の至宝
なぜ国宝級の作品が海を渡ったのか

中野明

明治維新の混乱のなか起きた日本美術の海外への大量流出。外国人蒐集家と日本人の間で起きた美術品を巡る知られざるドラマを明らかにし、美術流出の是非を問う。

筑摩選書 0160

教養主義のリハビリテーション

大澤聡

知の下方修正と歴史感覚の希薄化が進む今、教養のバージョンアップには何が必要か。気鋭の批評家が鷲田清一、竹内洋、吉見俊哉の諸氏と、来るべき教養を探る！

筑摩選書 0161

終わらない「失われた20年」
嗤う日本の「ナショナリズム」・その後

北田暁大

ネトウヨ的世界観・政治が猛威をふるう現代日本。アイロニーに嵌り込む左派知識人。隘路を突破するには何が必要か？　リベラル再起動のための視角を提示する！

筑摩選書
0132

イスラームの論理

中田 考

神や預言者とは何か。スンナ派とシーア派はどこが違うか。ハラール認証、偶像崇拝の否定、カリフ制、原理主義……。イスラームの第一人者が、深奥を解説する。

筑摩選書
0133

憲法9条とわれらが日本
未来世代へ手渡す

大澤真幸 編著

憲法九条を徹底して考え、戦後日本を鋭く問う。社会学者の編著者が、強靭な思索者たる井上達夫、加藤典洋、中島岳志の諸氏とともに、「これから」を提言する！

筑摩選書
0134

戦略的思考の虚妄
なぜ従属国家から抜け出せないのか

東谷 暁

戦略論がいくら売れようと、戦略的思考は身につかず、政府の外交力も向上していない。その理由を示し、戦略論の基本を説く。真の実力を養うための必読の書！

筑摩選書
0135

ドキュメント 北方領土問題の内幕
クレムリン・東京・ワシントン

若宮啓文

外交は武器なき戦いである。米ソの暗闘と国内での権力闘争を背景に、日本の国連加盟と抑留者の帰国を実現した日ソ交渉の全貌を、新資料を駆使して描く。

筑摩選書
0136

独仏「原発」二つの選択

篠田航一
宮川裕章

福島の原発事故以降、世界の原発政策は揺れている。激しい対立と軋轢、直面するジレンマ。国民の選択が極端に分かれたEUの隣国、ドイツとフランスの最新ルポ。

筑摩選書 0137

〈業〉とは何か
行為と道徳の仏教思想史

平岡 聡

仏教における「業思想」は、倫理思想であり行為の哲学でもある。初期仏教から大乗仏教まで、様々に変遷してきたこの思想の歴史と論理をスリリングに読み解く!

筑摩選書 0138

ローティ
連帯と自己超克の思想

冨田恭彦

プラグマティズムの最重要な哲学者リチャード・ローティ。彼の思想を哲学史の中で明快に一から読み解き、後半生の政治的発言にまで繋げて見せる決定版。

筑摩選書 0139

宣教師ザビエルと被差別民

沖浦和光

ザビエルの日本およびアジア各地での布教活動の跡をたどりながら、キリシタン渡来が被差別民にもたらしたものが何だったのかを解明する。

筑摩選書 0140

ソ連という実験
国家が管理する民主主義は可能か

松戸清裕

一党制でありながら、政権は民意を無視して政治を行うことはできなかった。国民との対話や社会との協働を模索しながらも失敗を繰り返したソ連の姿を描く。

筑摩選書 0141

「働く青年」と教養の戦後史
「人生雑誌」と読者のゆくえ

福間良明

経済的な理由で進学を断念し、仕事に就いた若者たち。知的世界への憧れと反発。孤独な彼ら彼女らを支え、結びつけた昭和の「人生雑誌」。その盛衰を描き出す!

筑摩選書 0142

徹底検証　日本の右傾化

塚田穂高 編著

日本会議、ヘイトスピーチ、改憲、草の根保守、「慰安婦報道」……。現代日本の「右傾化」を、ジャーナリストから研究者まで第一級の著者が多角的に検証！

筑摩選書 0143

アナキスト民俗学
尊皇の官僚・柳田国男

絓 秀実
木藤亮太

国民的知識人、柳田国男。その思想の底流にはクロポトキンのアナーキズムが流れ込んでいた！　尊皇の官僚にして民俗学の創始者・柳田国男の思想を徹底検証する！

筑摩選書 0144

アガサ・クリスティーの大英帝国
名作ミステリと「観光」の時代

東 秀紀

「ミステリの女王」アガサ・クリスティーはまた「観光の女王」でもあった。その生涯を「ミステリ」と「観光」を軸に追いながら大英帝国の二十世紀を描き出す。

筑摩選書 0145

楽しい縮小社会
「小さな日本」でいいじゃないか

森 まゆみ
松久 寛

少子化、先進国のマイナス成長、大変だ、タイヘンだ……？　持たない生活を実践してきた作家と、技術開発にしのぎを削ってきた研究者の意外な意見の一致とは！

筑摩選書 0146

帝国軍人の弁明
エリート軍人の自伝・回想録を読む

保阪正康

昭和陸軍の軍人たちは何を考え、どう行動し、それを後世にどう書き残したか。当事者自身の筆による自伝・回想録を、多面的に検証しながら読み解く試み。

筑摩選書 0182

〈現実〉とは何か

数学・哲学から始まる世界像の転換

西郷甲矢人
田口 茂

数学（圏論）と哲学（現象学）の対話から〈現実〉の核心が明らかにされる！ 実体的な現実観を脱し、自由そのものである思考へ。学問の変革を促す画期的試論。

筑摩選書 0183

三越 誕生！

帝国のデパートと近代化の夢

和田博文

1904年、呉服店からデパートへ転身した三越は近代日本を映し出す鏡でもあった。生活を変え、流行を発信する文化装置としての三越草創期を図版と共にたどる。

筑摩選書 0184

明治史研究の最前線

小林和幸 編著

政治史、外交史、経済史、思想史、宗教史など、多様な分野の先端研究者31名の力を結集し明治史研究の最先端を解説。近代史に関心のある全ての人必携の研究案内。

筑摩選書 0185

アジールと国家

中世日本の政治と宗教

伊藤正敏

世俗の権力の及ばない避難所、聖なる別天地としてのアジールとは、一体どのようなものだったのか。歴史の中で果たしてきた役割を中世日本を舞台として跡付ける。

筑摩選書 0186

皇国日本とアメリカ大権

日本人の精神を何が縛っているのか？

橋爪大三郎

昭和の総動員体制になぜ人々は巻き込まれたのか。戦後のアメリカ大権を国民が直視しないのはなぜか。戦前の聖典『国体の本義』解読から、日本人の無意識を問う。

筑摩選書
0147

日本語と道徳
本心・正直・誠実・智恵はいつ生まれたか

西田知己

かつて「正直者」は善人ではなかった⁉ 「誠実」な人もいなければ、「本心」を隠す人もいなかった⁉ 日本語の変遷を通して、日本的道徳観の本質を探る。

筑摩選書
0148

新・風景論
哲学的考察

清水真木

なぜ「美しい風景」にスマホのレンズを向けるのか？ 風景を眺めるとは何をすることなのか？ 西洋精神史をたどり、本当の意味における風景の経験をひらく。

筑摩選書
0149

文明としての徳川日本
一六〇三―一八五三年

芳賀 徹

「徳川の平和」はどのような文化的達成を成し遂げたのか。琳派から本草学、蕪村、芭蕉を経て白石や玄白、源内、崋山まで、比較文化史の第一人者が縦横に物語る。

筑摩選書
0150

憲法と世論
戦後日本人は憲法とどう向き合ってきたのか

境家史郎

憲法に対し日本人は、いかなる態度を取ってきただろうか。世論調査を徹底分析することで通説を覆し、憲法観の変遷を鮮明に浮かび上がらせた、比類なき労作！

筑摩選書
0151

神と革命
ロシア革命の知られざる真実

下斗米伸夫

ロシア革命が成就する上で、異端の宗派が大きな役割を果たしていた！ 無神論を国是とするソ連時代の封印を解き、革命のダイナミズムを初めて明らかにする。